Heinz Körner · Johannes

D1542257

Heinz Körner

JOHANNES

Erzählung

lucy körner verlag

Den Text „Bitte höre, was ich nicht sage . . ." auf den Seiten 83–85 entnahmen wir dem Buch: Tobias Brocher, Von der Schwierigkeit zu lieben, Maßstäbe des Menschlichen, Band 8/1975 aus dem Kreuz Verlag, Stuttgart und Berlin. Wir danken für die freundliche Genehmigung.

Bei dem erwähnten Bildband handelt es sich um das Buch: Oswald Kettenberger, Nur Menschen, Kiefel Verlag, Wuppertal.

© 1978 lucy körner verlag
Postfach 11 06, 7012 Fellbach
Alle Rechte vorbehalten.

1. Auflage September 1978
2. Auflage April 1980
3. Auflage Oktober 1980
4. Auflage Februar 1981
5. Auflage Juni 1981
6. Auflage September 1981
7. Auflage Januar 1982
8. Auflage Februar 1982
9. Auflage Mai 1982
10. Auflage September 1982
11. Auflage November 1982
12. Auflage Januar 1983
13. Auflage März 1983
14. Auflage Juni 1983
15. Auflage September 1983
16. Auflage November 1983
17. Auflage Dezember 1983
18. Auflage Februar 1984
19. Auflage September 1984
20. Auflage Oktober 1984
21. Auflage August 1985

Satz und Druck: J. F. Steinkopf Druck+Buch GmbH, Stuttgart
ISBN 3-922028-00-4

Für L. B. K.

Die Großen sind nicht durch sich selbst groß, sondern durch die andern, durch alle die, denen es ein Entzücken bereitet, sie als groß zu erklären. Durch vieler Leute Würdelosigkeit entsteht diese eine überragende Ehre und Würde. Durch vieler Leute Kleinheit und Feigheit entsteht diese auf einem Punkt aufgehäufte Summe von Größe und durch vieler Leute Verzicht auf Macht diese gewaltige Macht. Ohne Gehorsam ist der Befehlshaber und ohne Diener ist der Herr nicht möglich.

Robert Walser

1 Die Begegnung

Als ich an diesem Morgen die Augen aufschlug, wußte ich, daß der Tag anders sein würde.

Der Morgen war hell. Ich empfand ihn wie Glas: Er fühlte sich kühl an, klar und durchsichtig. Ich hatte das Gefühl, ich könne den Inhalt dieses Morgens sehen, ohne ihn zu erkennen.

Ich stand auf wie immer. Ich wusch mich, prüfte vor dem Spiegel meinen Bart und entschloß mich zu einer Rasur. Dann kleidete ich mich an und hatte dabei das Gefühl, als wäre meine Kleidung heute etwas Besonderes. Ich setzte Wasser auf für meinen Kaffee und öffnete ein Fenster, um endlich den neuen Tag hereinzulassen.

Und er kam herein.

Wie betäubt blieb ich am offenen Fenster stehen und nahm die Atmosphäre in mich auf. Nach wenigen Augenblicken mußte ich mich plötzlich abwenden. Ich glaubte, es einfach nicht ertragen zu können.

Was konnte ich nicht ertragen? Was war heute anders? Diese Frage stellte ich mir selbst. Und ohne nachzudenken, fiel mir sofort die Antwort ein: Das beinahe unerträglich intensive Gefühl, zu leben. Noch niemals hatte ich so sehr gefühlt, daß ich lebe. Ich versuchte, es abzuschütteln und wandte mich um.

In diesem Augenblick merkte ich zum ersten Mal, daß mit der Zeit etwas nicht stimmte. Das Wasser war schon beinahe verkocht, obwohl ich nur kurz am Fenster gestanden war.

Ganz plötzlich entschied ich mich gegen den Kaffee. Ich aß auch nichts und entschloß mich statt dessen zu einem Spaziergang. Es ist nichts Ungewöhnliches, wenn ich vor der Arbeit noch spazierengehe. Aber im allgemeinen verlasse ich das Haus nicht, ohne etwas gefrühstückt zu haben. Und ich pflege sonst immer den gleichen Weg zu nehmen. Doch heute lenkten mich meine Schritte sofort in eine andere Richtung.

Nicht allzuweit von meiner Wohnung beginnt ein ausgedehntes Waldgebiet, das ich von zahlreichen Spaziergängen zu kennen glaubte. Wie sich bald zeigen sollte, hatte ich mich wahrscheinlich nur in den nahe gelegenen Randgebieten bewegt. Dieses Mal nahm ich nämlich einen Weg, der sehr tief in den Wald zu führen schien.

Als mir die Uhrzeit in den Sinn kam, entschloß sich etwas in mir, heute nicht zur Arbeit zu gehen. Ich wollte diesen Tag nicht verschenken, sondern den Wald genießen und mich anschließend krank melden. Die Zeit wurde mir wieder gleichgültig, und sofort empfand ich erneut dieses intensive und beglückende Lebensgefühl. Ich fühlte mich leicht und zeitlos, ewig, unerklärlich.

Seltsamerweise wunderte ich mich über all diese beinahe mystischen Eingebungen nicht. Ich nahm sie hin, akzeptierte sie.

Ich war schon geraume Zeit gegangen und hatte mich in Gegenden verirrt, die ich niemals zuvor betreten hatte. Vielen Gedanken war ich nachgehangen, die flüchtig an mir vorüberzogen und schon Sekunden später vergessen waren. Da kam ich an diese Wegbiegung, die ich niemals vergessen werde.

Ich blieb stehen. Im selben Moment wußte ich, daß ich eine andere Welt betreten würde, wenn ich weiter ginge. Doch dieses Wissen war mir unerklärlich. Nichts war ungewöhnlich an dieser Stelle. Und dennoch registrierte etwas in mir eine Empfindung, die ich an jedem anderen Tag als verrückt abgetan hätte.

Ich zögerte einen Augenblick. Dann schritt ich entschlossen weiter.

Hinter der Wegbiegung sah ich eine Bank. Sie stand links vom Weg in einer kleinen Nische in den Bäumen und lud verführerisch zum Ausruhen ein. Auf ihr saß ein alter Mann. Er blickte mir aufmerksam und freundlich entgegen.

Ich erkannte ihn sofort. Das klingt seltsam, wenn man gleichzeitig weiß, daß ich trotzdem nicht wußte, wer er war.

Unsicher ging ich weiter. Er saß ruhig und abwartend da und sah mich unverwandt mit seinen aufmerksamen Augen an. Ich wurde plötzlich müde, wie bei der Heimkehr nach einem langen und beschwerlichen Weg. Ohne ein Wort setzte ich mich neben ihn.

Langsam wandte er sich mir zu und sagte: „Ich freue mich, daß du gekommen bist."

Eigentlich hätte ich jetzt erschrecken müssen. Aber im Grunde hatte ich auf so etwas gewartet. Ich blickte ihn an und versuchte, meine Fassung zu bewahren.

„Sie haben auf mich gewartet?" sagte ich dann.

Er nickte.

„Ich kenne Sie", redete ich weiter, um meine Unsicherheit zu verbergen, „aber ich kann mich nicht mehr erinnern."

Er streckte mir seine Hand entgegen und sagte: „Ich bin Johannes."

Ich ergriff seine Hand und spürte einen kräftigen und warmherzigen Händedruck. „Gut, Johannes. Ich heiße Klaus..."

Er unterbrach mich: „Ich kenne deinen Namen. Wichtiger ist, wer du bist."

Ich war verwirrt. Zunächst einmal kam ich mit der Anrede nicht zurecht. Schon immer hatte ich Schwierigkeiten, wenn ich ältere Menschen mit dem Vornamen anreden sollte. Und was mich noch mehr verwirrte: Woher kannte Johannes mich? Warum hat er anscheinend auf mich gewartet?

„Ich weiß nicht ...", begann ich zu stottern, „mir kommt das alles so seltsam vor. Woher wissen Sie, wer ich bin?"

Der alte Mann lächelte beinahe belustigt vor sich hin. Trotzdem fühlte ich mich nicht ausgelacht, denn er blickte mich gleich wieder offen und freundlich an und sagte: „Rede doch bitte normal mit mir. Dazu gehört auch das Du. Ich bin dein Freund."

„Trotzdem weiß ich noch nicht, wer Sie sind, ... ich meine natürlich, wer du bist. Und woher du mich kennst."

„Ich sagte doch, daß ich Johannes bin."

Ich schüttelte den Kopf. Nicht als Antwort, sondern um eine seltsame Beklommenheit abzuschütteln, die langsam von mir Besitz ergriff.

„Du fühlst dich unwohl?" fragte Johannes.

„Nein, nicht unwohl", antwortete ich, „eher seltsam, ungewohnt. Irgendwas ist mit mir nicht in Ordnung."

Er lachte herzlich. Mir fiel dabei auf, daß ich ihn bisher für recht alt gehalten hatte, etwa zwischen sechzig und siebzig Jahren. Doch wenn er lachte, wirkte er plötzlich frisch und jung. „Nicht in Ordnung!" rief er lachend. „Ich glaube, es erscheint dir ungewöhnlich, daß du jetzt mehr in Ordnung bist als sonst."

Sicher sah ich ihn sehr verblüfft an. Er hielt mich mit seinen Augen fest, auf eine Art, die mir äußerst angenehm erschien und nicht einen Hauch von Zwang ausübte. Meine allgemeine Verwirrung steigerte sich. Dieser alte Mann beantwortete meine Fragen entweder gar nicht oder so treffend, daß es mir die Luft nahm. In der Tat fühlte ich mich nämlich ungewöhnlich, aber keineswegs schlecht. Es war eher so, daß ich mich seltsam berührt fühlte, aufgewühlt von etwas, das in längst vergangenen Zeiten lag. Eine Erinnerung wie ein angenehmes, doch trauriges Zurückdenken an die Kindheit, an etwas Wunderbares, das verloren gegangen war. Eine Weile hing ich diesen Gedanken nach, dann versuchte ich, mich wieder in den Griff zu bekommen.

„Also, noch mal von vorn", sagte ich, „drei Fragen hatte ich gestellt: Woher kommst du mir bekannt vor? Woher kennst du mich? Wer bist du wirklich? Und noch eine vierte Frage: Warum hast du hier auf mich gewartet? Woher wußtest du überhaupt, daß ich komme?"

Johannes wirkte sehr ernsthaft, als er mir antwortete: „Die erste Frage hattest du bisher nicht gestellt, jedenfalls nicht an mich. Ich kann sie dir nicht beantworten, weil ich nicht weiß, woher du mich zu kennen glaubst. Deine zweite Frage, nämlich woher ich dich kenne, will ich nicht beantworten, zumindest jetzt nicht. Ich kenne dich. Versuche das bitte einfach mal so hinzunehmen.

Dann hast du noch gefragt, wer ich bin. Das ist doch richtig?"

„Ja, sicher."

„Ich weiß nur eine sinnvolle Antwort darauf: Ich bin."

Ich war von dieser Antwort einerseits fasziniert, andererseits natürlich enttäuscht. „Was heißt das: Ich bin?" fragte ich.

„Das heißt: Ich bin. Nicht mehr und nicht weniger."

Ich nickte. „Ich glaube, das kann ich verstehen. Dennoch wüßte ich gern genauer, wer du bist."

Er lachte wieder. „Kannst du mir sagen, wer du bist?"

Das Spiel – oder war es Ernst? – begann mich zu interessieren. „Klar!" sagte ich. „Ich heiße Klaus Wolff, bin 30 Jahre alt, von Beruf kaufmännischer Angestellter, ledig und so weiter. Das sind doch schon einige Informationen über mich."

Johannes schüttelte den Kopf. „Nein, das sind nicht die geringsten Informationen über dich, sondern über deinen Namen, dein Alter, deinen Beruf, deinen Familienstand. Über dich habe ich eben nichts erfahren."

„Na gut", sagte ich gereizt, „ich bin natürlich auch ein Mensch."

„Das sehe ich. Willst du dich über mich lustig machen? Wer bist du?"

Ich schwieg. Wer war ich? Die harmlose, jeden Tag gehörte und gestellte Frage, tausendmal schon oberflächlich beantwortet – ich konnte nicht viel dazu sagen. Im Grunde gar nichts.

Nach einer geraumen Weile räusperte sich Johannes und meinte: „Du hattest noch eine vierte Frage gestellt. Ist dir die Antwort noch wichtig?"

Ich mußte meine Gedanken erst wieder ins Lot bringen, um meine Aufmerksamkeit seinem Hinweis zu wid-
men. Dabei wurde mir endlich das Absurde an meiner
Situation bewußt. Man muß sich das einmal vorstellen:
Ich stehe auf und der Tag ist von Anfang an auf eine unerklärliche Weise ungewöhnlich. Ich gehe nicht zur Arbeit,
sondern spaziere in einem Wald umher. Dabei treffe ich
einen alten Mann, der mir bekannt vorkommt und der
anscheinend auf mich gewartet hat. Warum bin ich jetzt
gerade hier und rede mit ihm? Woher kennt er mich
bloß? Unzählige Fragen, deren Antworten ich gerne
wüßte.

,,Ja", sagte ich schließlich, ,,natürlich interessiert mich
die Antwort noch. Aber zuerst will ich wissen, woher du
gewußt hast, daß ich gerade heute um diese Zeit hierher
komme."

,,Du bist gekommen. Das genügt."

,,Aber das erklärt mir doch nicht, woher du das
wußtest!"

Johannes lächelte freundlich. ,,Ist das wirklich so wichtig? Ich könnte dich genauso gut fragen, warum du
gekommen bist. Doch du bist hier. Das genügt mir."

,,Nun gut." Ich gab ein Stück weit auf. ,,Warum hast du
auf mich gewartet?"

,,Ich möchte, daß du mich begleitest", sagte er. ,,Ich
will mit dir reden und habe dir etwas zu geben."

,,Was willst du mit mir bereden?"

,,Auf der einen Seite ist es nur wenig, auf der anderen
viel. Komm mit und du weißt es." Er sah mich dabei sehr
freundlich an. Ich spürte, daß sein Wunsch sehr wichtig

zu sein schien. Es war ihm viel daran gelegen, mit mir zu reden.

„Und was willst du mir geben?" fragte ich weiter. Ich mußte dabei heftig schlucken, weil mit dieser Frage wieder Gefühle in mir auftauchten, welche ich seit Jahren vergessen hatte.

„Das will ich dir erst sagen, wenn wir miteinander gesprochen haben", sagte er.

Was sollte ich tun? Hin- und hergerissen zwischen warmherzigen und durchaus liebevollen Gefühlen, die ich für Johannes empfand, und der Furcht, mich in eine seltsame Sache einzulassen, die mir nicht ganz geheuer war.

Johannes holte mich aus meinen zweifelnden Gedanken, indem er fortfuhr: „Du kannst jederzeit ablehnen. Du bist frei, sofort zurückzukehren, das weißt du. Es ist allein deine Entscheidung."

„Ich kann mich aber nicht für etwas entscheiden, das ich nicht kenne. Ich muß wissen, was das ist, für was ich mich da entscheiden soll."

„Du sollst dich für gar nichts entscheiden. Du darfst, wenn du willst. Außerdem, wann weißt du jemals im Leben, für was du dich entscheidest?"

Ich blieb stumm. Zu der immer intensiveren Zuneigung zu diesem alten Mann gesellte sich eine tiefe Traurigkeit. „Natürlich", sagte ich mit belegter Stimme, „ich kenne die Zukunft so wenig wie jeder andere. Aber meistens weiß ich doch mehr als jetzt, was auf mich zukommen könnte."

„Bist du sicher?" fragte Johannes.

Ich konnte nicht antworten. Die in mir aufgewühlten Gefühle ließen ein klares Denken nicht mehr zu.

„Es mag für dich und dein weiteres Leben sehr wichtig sein, wenn du mich begleitest", fuhr er fort. „Es wird gut sein und schlecht, angenehm und hart, schön und häßlich, je nachdem, welchen Standpunkt du einnehmen wirst. Mehr kann ich dazu nicht sagen."

„Du wirst aber wissen, über was du mit mir reden willst!"

„Selbstverständlich weiß ich das. Aber ich will mit dir darüber reden oder nicht darüber reden."

Meine Unsicherheit über all das, was heute geschehen war, über meine jetzige Situation und die in mir arbeitenden, nur mühsam unterdrückten Gefühle machten mich ungeduldig. „Was ist denn daran so geheimnisvoll?" rief ich.

Er schwieg eine Weile, schien nachzudenken. Dann seufzte er und sagte: „Nichts ist daran geheimnisvoll. Ich will einfach mit dir reden. Über dich und über vieles, was dich beschäftigt. Sonst nichts. Und es ist deine Entscheidung, ob du über dich reden willst, ob du überhaupt mit mir reden willst, oder ob du jetzt einfach wieder nach Hause gehst."

Ich sagte lange nichts. Er wartete ruhig.

„Woher kenne ich dich bloß?" fragte ich dann noch einmal. „Ich glaube dir nicht, daß du das nicht weißt, denn du kennst ja auch mich, wie du selber sagst."

„Du kannst mir glauben. Ich kenne dich. Dennoch weiß ich nicht, woher du mich zu kennen meinst. Es gäbe viele Möglichkeiten; und ich könnte eine Menge Vermutungen äußern. Doch ich will nicht. Vielleicht fällt es dir noch ein."

Bei seinen letzten Worten strahlte er eine derart tiefe Zuneigung zu mir aus, daß mir plötzlich beinahe die Tränen kamen. Längst vergessene Regungen und Wünsche zeigten sich und rührten heftig an mir.

„Hast du dich entschieden?" fragte Johannes sanft.

Ich nickte und stand auf. „Gehen wir", sagte ich.

Er freute sich, stand ebenfalls auf und nahm mich mit.

2   Das Gespräch

Wir durchquerten auf unserem Weg eine Landschaft, die mich durch ihren besonderen Reiz fesselte. Der Wald hatte sich schon bald zu einer weitläufigen Hügelland-schaft geöffnet. Bis zum Horizont erstreckten sich sanft geschwungene Hügel. Sie waren von einem herrlichen und satten Grün bedeckt, das nur hin und wieder von Büschen oder kleinen Felsen unterbrochen wurde. Bäu-me konnte ich nur sehr wenige entdecken.

Es war für mich eine Freude, diese Gegend zu durch-wandern. Am meisten erstaunte mich dabei, daß ich kilo-meterweit kein Zeichen von Zivilisation finden konnte. Ich hatte nicht gewußt, daß in solcher Nähe von meinem Wohnort eine derart faszinierende und beglückende Landschaft lag. Ich nahm mir fest vor, nach meiner Rück-kehr auf der Karte danach zu suchen und hier noch viele ausgedehnte Wanderungen zu unternehmen.

Wir gingen noch sehr weit. Meist lief ich einige Schritte hinter Johannes her. Entweder begeisterte mich der An-blick, der sich mir während des gesamten Weges bot und ich blieb bewundernd stehen. Oder ich konnte einfach nicht mit Johannes Schritt halten. Er legte ein Tempo vor, das für sein vermutliches Alter erstaunlich war. Nach einer Weile hatte ich Mühe, mit ihm mitzuhalten.

Hin und wieder gelang es mir, zu ihm aufzuschließen. Vom schnellen Gehen außer Atem, versuchte ich mir die eine oder andere Auskunft zu holen. Doch er beachtete mich überhaupt nicht. So trottete ich die meiste Zeit schweigend hinter ihm her.

Plötzlich fiel mir auf, was an dieser Gegend außer ihrer Schönheit noch ungewöhnlich war. Kaum ein Geräusch war zu hören. Eine ungewohnte Stille herrschte. Hin und wieder erklang das Lied eines Vogels oder das ferne Bellen eines Hundes. In solcher Nähe zu einer Stadt war das eine friedliche Ruhe, die kaum glaubhaft erschien.

Nach geraumer Zeit des schweigenden Dahinwanderns begannen meine aufgewühlten Gefühle wieder, mich in ihren Bann zu ziehen. Die immer noch vorhandenen Empfindungen für Johannes. Ich fühlte, daß ich ihn kennen mußte. Er löste unbeschreibliche, liebevolle Gefühle in mir aus, die mir unerklärlich blieben. Erinnerungsfetzen, die ich beinahe greifen konnte, und die mir doch wieder entglitten. Alte und tiefe Zustände meines Innern, längst vergessen, brachten mir Wärme und Geborgenheit ins Gedächtnis. Und immer wieder die Erkenntnis, im Laufe meines Lebens auf viele, auf unzählige solcher angenehmen Empfindungen verzichtet zu haben.

Doch dann gab es Augenblicke, da stellte ich all diese flüchtigen, inneren Anklänge in Frage. Ich versuchte, das ganze Geschehen des heutigen Tages mal mit kühlem Kopf und sachlichem Verstand zu betrachten. Dann schien mir jedesmal bewußt zu werden, daß dies alles irgendwie nicht stimmen konnte. Ich meinte, ich würde jeden Moment aufwachen. Dann gäbe es für alles eine logische Erklärung.

Und dann übermannten mich wieder diese bekannten und doch unbekannten Gefühle. Ich sah Johannes schweigend vor mir gehen. Leicht und federnd waren seine Schritte. Er ging nicht wie ein alter Mann. Mit Bewunderung und Zuneigung beobachtete ich sein Gehen.

Noch selten hatte ich einen Menschen so intensiv gehen sehen. Ja, er ging mit ganzem Herzen, als wäre er nur noch sein Körper. Als wäre er selber das Gehen. In solchen Momenten stiegen seltsame Erinnerungen in mir hoch, die ich nie fassen konnte.

Woher rührte der Wunsch, mich einfach in seine Arme fallen zu lassen? Ihm blind vertrauen! Das wollte ich. Doch ich kannte ihn kaum. Und ich glaubte, ihn zu kennen. Man stelle sich meine Verwirrung vor!

Wäre mein Verstand mir nicht hin und wieder im Wege gewesen, hätte ich einfach im Gehen geweint. Und Johannes wäre für mich da gewesen. Sicher, stark und fest. Diese Bedürfnisse kannte ich. Suchte ich in ihm den Vater, den ich mir schon immer gewünscht hatte? Einerseits stand ich unter einem Zauber, andererseits fragte ich mich, ob ich nicht langsam zu spinnen begann und diesen alten Mann in irgendeinem Wahn maßlos überhöhte.

Wir waren inzwischen nach meiner Meinung schon zwei Stunden gelaufen. Die Sonne stand trotzdem noch tief. Es schien noch früher Morgen zu sein. Es gab keinen Weg mehr, geschweige denn eine Straße. Quer durch die Hügel nahmen wir unseren Weg. Immer noch fehlte jedes Zeichen von bewohnten Gegenden.

Eine eigenartige Beklommenheit ergriff mich plötzlich. Ich blieb stehen. War ich hier nicht schon einmal gewesen?

Es blieb mir keine Zeit für diesen Gedanken, denn Johannes hatte einen beträchtlichen Vorsprung. Er schritt nach wie vor sehr kräftig aus, als würde er keine Kraft verbrauchen.

Jetzt führte unser Weg auf einen baumbestandenen Hügel, welcher etwas höher als die anderen war. Die Bäume bildeten einen Ring um den Gipfel, aus dessen Mitte einige Felsen empor ragten. Johannes suchte einen Weg zwischen diesen Felsen. Schließlich standen wir auf einer hochgelegenen Mulde zwischen Bäumen und Felsen. Sie war mit saftigem Grün bewachsen und verführte mich auf Anhieb zu einer Rast.

Johannes blieb endlich stehen. Er lächelte mir zu und sagte: ,,Wir sind angekommen. Hier werden wir miteinander reden. Setz dich."

Erst als ich saß, spürte ich plötzlich die Müdigkeit und den Hunger. Mir fiel ein, daß ich heute noch nichts gegessen hatte. Und der Weg war weit und anstrengend gewesen.

Johannes setzte sich ebenfalls. Ich bemerkte erst jetzt, daß er einen Beutel bei sich trug. Diesem entnahm er ein Stück Brot und bot es mir an. Dankbar griff ich zu und biß herzhaft hinein. Es war ganz einfaches Brot, doch es schmeckte mir bei diesem Hunger vorzüglich. Er reichte mir noch eine Feldflasche mit einer klaren, sehr erfrischenden Flüssigkeit. Beides zusammen füllte meinen Körper prompt mit frischer Energie.

Wir aßen schweigend. Johannes war nicht gewillt, während des Essens zu reden. So wie er ging, so aß er auch: mit ganzer Hingabe.

Nachdem ich satt war, fühlte ich mich derart stark und kraftvoll, daß wir sofort zu einem weiteren Marsch hätten aufbrechen können. Johannes verstaute die Reste unserer Mahlzeit in seinem Beutel und blickte mich aufmerksam an. ,,Wie fühlst du dich?" fragte er.

„Gut", versicherte ich ihm strahlend.

„Was heißt gut?" fragte er weiter. „Das sagt mir nichts. Gut kann viel sein. Wie fühlst du dich?"

Ich blickte ihn verständnislos an. Dann sagte ich: „Mir geht es aber wirklich gut. Ich fühle mich stark, gekräftigt und ausgeruht."

Er nickte. „Stark fühlst du dich und ausgeruht", sagte er langsam. „Schön, dann will ich beginnen."

Sofort zog sich alles in meinem Bauch unangenehm zusammen. Mir fiel wieder ein, was wir vorhatten. Und obwohl mir jede Vorstellung von unserem Gespräch fehlte, spürte ich heftige Angst davor.

Johannes sah mich lange an. Ernst, prüfend, aber freundlich. Ich versuchte, seinem Blick standzuhalten. Mir wurde übel. Ich war kurz davor, mich übergeben zu müssen, als er endlich zu reden begann.

„Du kümmerst dich zu sehr um Unwesentliches", sagte er. „Dein Interesse gilt mehr dem, was die Menschen in deiner Umgebung denken. Dir ist es wichtiger, wie die Leute auf die Dinge reagieren als die Dinge selbst. Doch gerade die sind das Wesentliche. Darum soll es in unserem Gespräch gehen."

Schon sein erster Satz hatte mich getroffen. Alles mögliche oder auch gar nichts hatte ich erwartet, aber keinesfalls ein Gespräch um ein solches Thema. Zwar konnte ich nichts dazu sagen, doch mußte ich plötzlich unbedingt reden. „Was meinst du mit den Dingen?" fragte ich so beiläufig wie möglich.

„Das weißt du."

Ich antwortete nicht. Nach einer Weile fuhr er fort: „Es gibt noch viel darüber zu sagen. Ich will dir heute helfen, in Zukunft das Wesentliche zu sehen, die Dinge selbst. Nicht das, was darüber gesagt, gedacht und geschrieben wird."

„Es ist aber wichtig für mich, was andere denken", erwiderte ich. „Ich brauche die Auseinandersetzung."

„Erstens weißt du nicht sicher, was andere wirklich denken. Zweitens meine ich nicht, daß du nicht mehr mit anderen diskutieren sollst. Es geht nur darum, daß das Wesen der Dinge, die Dinge selber für dich nicht verloren gehen."

„Ich verstehe nicht, was du meinst. Die Dinge? Du redest so geheimnisvoll!"

Johannes nickte. „Sicher, du willst nicht verstehen. Du weißt sehr genau, was ich meine. Trotzdem will ich dir ein Beispiel geben. Es gibt unzählige Menschen, die Zeitungen und Bücher lesen. Das ist das Leben für sie. Doch sind das alles nur Gedanken über das Leben. Mehr nicht."

Ich verstand. „Du meinst also, das Leben selber spielt sich nicht in Büchern oder zum Beispiel in Filmen ab, sondern jeden Tag zwischen den Menschen."

„Ja. So könnte man es formulieren."

„Gut. Genau darum geht es mir doch selber. Sagte ich nicht vorhin, daß ich die Auseinandersetzung mit anderen Menschen brauche?"

„Ja, das sagtest du. Darum geht es auch mir. Im Kontakt mit anderen achtest du zu sehr auf deren Reaktionen und zu wenig auf das, worum es wirklich geht."

Nun war mir wieder ein Rätsel, was Johannes wollte. Ich schüttelte den Kopf. „Tut mir leid. Ich verstehe dich nicht."

Er lachte. „Das tut dir sicher nicht leid. Ich versuche es noch einmal. Dir geht es um die Auseinandersetzung, um ein reales Beispiel zu nehmen, um das Reden mit anderen. Aber das sagst du nicht. Du tust so, als ginge es dir um die Sache. Doch das stimmt nicht. Verstehst du?"

„Ich glaube", sagte ich nachdenklich.

Johannes schwieg einen Augenblick, er schien nachzudenken. Dann sprach er langsam weiter: „Hast du jemals einen getroffen, der das gesagt hat, was er dachte? Kannst du dich mit jemandem auseinandersetzen, der anders redet als er denkt? Und der noch mal anders denkt als er handelt?"

Dieser Satz traf mich wie ein Schlag in den Magen. Ich war betroffen und dachte an Verteidigung, doch wußte ich nichts darauf zu sagen.

Als hätte er meine Gedanken erraten, fuhr Johannes fort: „Du brauchst dich nicht zu rechtfertigen. Ich weiß, warum du so handelst. Wenn du deine eigenen Schritte zurück verfolgst bis zum Anfang, findest du die Gründe selber. Möglicherweise hast du bisher den Weg gewählt, der dir am besten erschien. Trotzdem war es der falsche Weg."

Ich hätte nicht zu sagen vermocht, woran es lag. Mich übermannten, nein, überfluteten plötzlich meine seit Stunden aufgewühlten Gefühle. Ich brach in ein hilfloses und jämmerliches Schluchzen aus. Weinen konnte ich nicht. Mein Bauch wand sich in Krämpfen. Johannes setzte sich dicht neben mich. Er legte mir einen Arm um die Schulter, zog mich nachdrücklich auf den Boden und legte mich sanft hin. Seine Hände ließ er auf meinem Bauch ruhen.

Obwohl mein Verstand jede Einzelheit des Geschehens wahrnahm, konnte ich mich nicht mehr beherrschen. Meine ganze Angst und Schutzlosigkeit wurde mir schmerzlich bewußt. Endlich begann ich hemmungslos zu weinen.

Mit jedem seiner Sätze hatte Johannes den Kern der Sache erfaßt. Tatsächlich fühle ich mich nur zu oft meiner Umwelt ausgeliefert. Täglich werde ich aufs neue enttäuscht. Ich reagiere mehr als ich agiere. Oder noch genauer: Ich lebe nicht, sondern ich werde gelebt.

Schon oft bin ich daran verzweifelt, daß selbst gute Freunde anders handeln als sie reden. Natürlich geschieht es auch, daß ich einmal anders handle, als es aufgrund meiner Worte zu erwarten ist. Doch meine ich, daß ich mir bisher wenigstens Mühe gab, Denken, Reden und Handeln in Einklang zu bringen. Viele scheinen sich aber nicht einmal Mühe zu geben.

Und auch hier hatte Johannes recht: Oft geht es mir nicht um das Wesen der Dinge, sondern um die Reaktionen der Leute. Wie denkt der wohl darüber? Was hält jener von mir? Wie muß ich mich verhalten, um diesem zu gefallen? Solche Fragen bewegten mich oft.

Doch es ist wahr: Die meisten Menschen sind unehrlich. Ich richte mich ständig nach unehrlichen Aussagen. Man muß sich das einmal vorstellen! Ich werde täglich von anderen betrogen. Und mit diesem Betrug, den ich für wahr halte, betrüge ich mich selbst am meisten. Dann das Gefühl, mein Leben sei leer und sinnlos. Kein Wunder!

Ich muß lange geweint haben. Johannes saß still bei mir und ließ mich seine Hände beruhigend, schützend auf meinem Bauch spüren. Er gab mir Sicherheit. Ich konnte mich bei ihm fallen lassen. Ein Trick, den wir alle brauchen, um uns selber zu überlisten: Die Gewißheit, daß da jemand ist, der mich auffangen kann. Jeder kann sich selbst sehr gut am besten auffangen. Sind wir es doch gewohnt, uns den ganzen Tag in der Gewalt zu haben.

Schließlich beruhigte ich mich wieder. Ich fühlte mich wesentlich wohler. Die Spannungen in meinem Körper waren weg. Ich setzte mich auf und blickte Johannes direkt in seine freundlichen Augen.

„Du bist nicht allein", sagte er sanft. „Vielen geht es wie dir. Im Grunde tut jeder so als ob."

Ich nickte. Ich brauchte mich nicht mehr zu vergewaltigen, um ihm zuzuhören. Ich war stark genug, mir selber zu begegnen. „Warum tust du das hier?" fragte ich.

„Was meinst du mit Tun?"

„Mit mir reden. Warum redest du mit mir?"

Johannes lachte. „Ich rede mit dir. Das genügt doch."

„Sicher, doch mußt du irgendeinen Grund dafür haben. Oder nicht?"

„Natürlich habe ich meine Gründe, doch weiß ich nicht, warum du sie wissen willst. Für dich ist es wichtig, warum du mit mir redest."

Dieses Mal lachte ich. „Na hör mal, du wolltest doch mit mir reden, und ich bin dir nur gefolgt."

„Ja, ich weiß. Doch warum bist du mir gefolgt. Das ist deine Frage. Warum fragst du andere nach ihren Gründen, statt dich selber nach deinen zu fragen?"

Ich nickte. Ja, das konnte ich akzeptieren. Ich fühlte mich durch seine Antworten nicht mehr aus der Bahn geworfen. Also gut, dachte ich, wollen wir miteinander reden und sehen, was dabei herauskommt.

„Du hast recht", sagte ich. „Fast jeder tut so als ob. Aber hast du dich jemals gefragt, warum das so ist?"

„Ja, das habe ich", antwortete er. „Ich glaube, weil es fast jeder für das Richtige hält, um aus seiner Sicht zu überleben."

Ich schüttelte heftig den Kopf. „Nein, das glaube ich nicht. Vielleicht trifft das bei einigen zu. Doch die meisten sehen sich dazu gezwungen. Die Umwelt, die Gesellschaft und ihre Ordnung verlangen von uns vieles, was wir im Grunde sicher nicht wollen."

Er schien eine Weile in Gedanken verloren, war abwesend und blickte an mir vorbei in die Ferne. „Weißt du", sagte er dann, „ich hatte nicht vor, mit dir über ein solches Thema zu sprechen. Dennoch will ich dir antworten. Ich muß dazu aber weit ausholen." Er holte sich ein Stück Brot aus seinem Beutel und kaute ruhig vor sich hin.

Ich erhob mich, suchte mir einen bequemen Baumstamm und lehnte mich an ihn. Entspannt und ruhig wartete ich auf seine Antwort. Die eigenartigen, fast mystischen Anwandlungen waren verschwunden. Oder ich hatte mich so an sie gewöhnt, daß ich sie nicht mehr wahrnahm. Ich war in einer äußerst positiven Stimmung. Endlich schien ich wieder Boden unter den Füßen zu haben.

Schließlich begann Johannes wieder zu sprechen: „Ist dir schon aufgefallen, daß die meisten Menschen über Themen reden, in welchen sie nicht vorkommen? Die einen sprechen über Kapitalismus und Sozialismus, die anderen unterhalten sich über schnelle Autos und schöne Urlaubsorte. Die vermeintlich Gebildeteren philosophieren über Gott und Buddha oder über den Sinn der Welt. Über alles mögliche reden die Leute, nur nicht über sich und das, was sie jeden Tag wirklich bewegt."

„Das mag stimmen", warf ich ein, „doch ich sagte bereits, daß es dafür einen Grund geben muß. Solches Verhalten wird doch verlangt. Es bleibt einem gar nichts anderes übrig."

„Es ist leicht, die Verantwortung für sein Denken und Reden und Handeln auf andere abzuschieben. Eltern, Gesellschaft, Umwelt. Nein, was ich rede, das liegt nur an mir ganz allein. Wie ich handle, das ist einzig meine Entscheidung. Und was ich denken will, kann ich jederzeit nach meinem freien Willen tun."

In Gedanken gab ich ihm recht. In der Tat liegt es bei mir allein, wie ich leben will. Doch gleichzeitig sträubte sich alles in meinem Gehirn gegen diese Feststellung. Was ist mit den vielen tausend Abhängigkeiten? Ich suchte nach Punkten, an denen ich Johannes widersprechen könnte, als er meine Überlegungen unterbrach: „Wir kommen von dem ab, was ich mit dir besprechen wollte. Ist dir dieses Thema wichtig?"

„Ja, das ist es."

„Gut. Dann will ich dir gern sagen, was ich darüber denke. Doch anschließend will ich, daß du mich in Ruhe mein Anliegen vortragen läßt, ohne viel zu diskutieren. Bist du damit einverstanden?"

Ich war einverstanden, doch mehr, um jetzt weiter diskutieren zu können als aus Überzeugung. Ich fuhr auch sofort in dem Gespräch an dem Punkt fort, der mir der fraglichste schien: „Um mit anderen über mich und das, was in mir vorgeht, reden zu können, brauche ich ein Mindestmaß an Vertrauen zu ihnen."

Johannes versank wieder ein Weilchen in Gedanken. Dann begann er langsam, doch sehr eindringlich zu sprechen: „Zwei Dinge sind von Bedeutung in deiner Aussage. Erstens drängt sich die Frage auf, warum du sogar jetzt im Gespräch mit mir die Verantwortung von dir schiebst. Denn für dein Vertrauen zu anderen bist ja auch du selber verantwortlich. Und zudem mußt du dir selber erst mal vertrauen. Wer über sich selber reden will, muß zunächst einmal zu sich selber stehen. Wer sich nicht selbst annehmen will, wird logischerweise auch nicht über sich reden. Eine Ausrede dafür, wie fehlendes Vertrauen, findet sich immer. Als zweites wäre zu fragen, warum du, wenn du so denkst, wie du eben sagtest, deine Zeit mit Menschen verbringst, zu denen du kein Vertrauen hast."

Seine Antwort verblüffte mich. Ich muß gestehen, daß ich in jeder anderen Situation das Gesagte wegdiskutieren würde. Es war mir peinlich, doch dieses Mal keineswegs unangenehm. Ich brauchte mich nicht mit möglichst gescheiten Argumenten aus der Schlinge zu reden, wie ich es sonst zu tun pflege. Heute gelang es mir, einfach zuzuhören und das Gesagte in Ruhe zu betrachten. Deshalb wirkte die Wahrheit in der Antwort von Johannes verblüffend. Sie machte mich nicht betroffen.

„Ich glaube, du siehst das etwas unrealistisch", erwiderte ich. „Es ist nicht möglich, jeden Tag nur mit Leuten zu reden, denen ich Vertrauen entgegenbringe."

„Ich meine nicht, was du während deiner Arbeit oder anderer alltäglicher Verrichtungen zur Verständigung reden mußt. Das weißt du genau. Es geht um deine Freunde, um die Menschen, unter denen du in deiner Freizeit weilst."

„Ja, vielleicht hast du recht", sagte ich mehr zu mir selber als zu ihm. In der Tat hatte er recht. Ich mochte es nicht zugeben, doch bezeichnete ich eine ganze Reihe von Menschen als Freunde, mit welchen ich nie und nimmer über mich reden würde.

„Der wesentlichere Punkt ist aber der", fuhr Johannes fort, „daß du die Verantwortung für dich auf andere abschiebst. Zum Beispiel auf die Gesellschaftsordnung oder die Mitmenschen. Doch damit entmündigst du dich selber. Und deine Mitmenschen erst recht. Jeder ist für sich und sein Handeln verantwortlich, es sei denn, er ist krank."

„Was ist dann mit der Erziehung?" rief ich. „Vater und Mutter richten bei jedem Menschen einigen Schaden an, auch wenn sie es nicht böse meinen."

„Mit diesem Einwand habe ich gerechnet. Allzuviel wird auf die Erziehung geschoben, ohne die wirklichen

Hintergründe zu bedenken. Du hast sicher recht: Tatsächlich wird an jedem Kind, das in unserer Zivilisation heranwächst, vieles zerstört. Und ich will nicht behaupten, daß das Kind dafür die Verantwortung trägt. Dies tut ein Mensch allerdings dann, wenn er kein Kind mehr ist. Jeder ist verpflichtet, aus dem, was aus ihm gemacht wurde, das Beste zu machen. Es ist für mich geradezu lächerlich, wenn Erwachsene ihre Denk- und Handlungsweisen mit Konflikten in der Kindheit entschuldigen."

„Du machst es dir sehr einfach", warf ich ein. „Auch ich leide heute noch unter vielem, was meine Eltern mit mir angestellt haben."

Er schüttelte den Kopf. „Nein, ich mache es mir keineswegs einfach. Ich will es dir an einem Beispiel verdeutlichen: Wenn ein Schmetterling heranwächst, ist er zunächst eine Larve und dann eine Puppe. Er kriecht am Boden und lebt dann eingesponnen in einer engen Behausung. Wenn er nun diese Behausung, seine Puppe, verläßt, dann liegt es an ihm, seine Flügel auszubreiten und zu fliegen. Natürlich kann er das Fliegen auch bleiben lassen und darauf verweisen, daß er, der Arme, entweder als Larve am Boden herumkriechen mußte und nicht fliegen gelernt hat; oder daß er als Puppe entsetzlich eingeengt wurde. Und er leide so unter seiner Vergangenheit, daß er jetzt eben nicht fliegen könne. Was nützt ihm dieser Hinweis denn? Er ist es, der nicht fliegt. Er leidet. Und es dürfte ihm weitaus besser bekommen, wenn er einfach sein Schicksal in die Hand nehmen, seine Flügel ausbreiten und fliegen würde. Auch wenn er sich dabei ein paar Beulen holt."

Ich war beeindruckt. Und ich fühlte sofort, daß der letzte Satz seiner Rede mich am meisten getroffen hatte. Die Angst, die Feigheit vor den Beulen, das hatte mich schon an vielem gehindert. Ich hätte auch das Risiko einiger Beulen auf mich nehmen können und vielleicht so manches erreicht. Ich hörte auf, an diesem Punkt weiter zu denken und suchte verzweifelt nach Einwänden, um mich und Johannes von diesem Thema abzulenken.

„Da mag schon etwas dran sein, an deinem Beispiel", sagte ich. „Doch hat es auch Grenzen. Du kannst doch nicht behaupten, daß beispielsweise ein Fließbandarbeiter, Vater von meinetwegen fünf Kindern, an seiner Situation selber schuld ist."

Johannes lachte. „Schuld?" fragte er. „Wer redet von Schuld. Verantwortlich für seine Situation ist er durchaus."

„Du scheinst einige wichtige Zusammenhänge zu übersehen", sagte ich trotzig.

„Nein, das glaube ich nicht. Ich nehme an, daß jeder von uns andere Zusammenhänge sieht als der andere. Auch ein Fließbandarbeiter hat jederzeit die Möglichkeit, sich anders zu entscheiden."

„Wie denn?" fragte ich gereizt. „Welche Möglichkeiten hat er denn?"

„Nun, ganz einfach: Jeder kann jederzeit alles tun, was er nur will. Er muß nur bereit sein, damit verbundene Mühen auf sich zu nehmen und alle Konsequenzen seines Tuns zu tragen. Wenn er mögliche Konsequenzen einer Änderung scheut, ist er eben lieber bereit, seine derzeitige Situation zu akzeptieren."

Ich schüttelte energisch den Kopf. „So einfach ist das nicht!" rief ich. „Jeder kann tun und lassen, was er will, wenn er die Konsequenzen trägt. Sicher, bis zu einem gewissen Rahmen mag das stimmen. Doch unser Fließbandarbeiter ist sicher nicht glücklich. Deshalb kannst du nicht einfach behaupten, er wäre bereit, die bestehende Situation hinzunehmen, wie sie ist."

Johannes begann während meiner erregten Widerrede zu lachen, bis ihm beinahe die Tränen kamen. Ich fühlte mich dadurch ein wenig getroffen, war ihm aber nicht böse. „Dein Eifer!" rief er, immer noch lachend. „Woher weißt du denn, ob er glücklich ist? Frag ihn mal! Vielleicht wirst du dich wundern. Aber reden wir doch lieber von dir. Bist du glücklich mit allem, was du tust?"

„Nein, natürlich nicht. Ich will aber noch bei unserem Beispiel bleiben. Unser Arbeiter ist sich dessen gar nicht bewußt, daß es ihm schlecht geht. Er durchschaut seine Abhängigkeiten nicht. Deshalb meint er vielleicht, er sei so ganz glücklich."

Johannes war wieder ganz ernst. Er sah mich aufmerksam an, während ich sprach. „Du willst nicht von dir reden?" fragte er.

„Doch!" erwiderte ich. „Ich wollte nur noch ergänzen, wie es dazu kommen kann, daß man von jemandem, der eigentlich unglücklich ist, zu hören bekommt, es ginge ihm gut."

„Geht es dir nicht genauso? Reden wir doch von dir."

Ich mußte heftig schlucken. Ich fühlte mich ertappt.

„Weißt du", fuhr er fort, „du bist sehr vermessen, wenn du über die Gefühle anderer urteilst. Ich glaube, daß jeder in der Lage ist, durchaus für sich selber zu sprechen. Und es ist das gute Recht eines jeden Menschen, für sich selber zu entscheiden, wie es ihm geht. Das gilt auch für dich. Was mich vorhin so belustigt hat, war der Eifer, mit dem du für andere gesprochen hast. Du hättest genauso gut über dich sprechen können. Ist dir aufgefallen, was du auf meine Frage geantwortet hast?"

„Auf welche Frage?"

„Ob du glücklich bist, hatte ich gefragt."

„Ach ja. Ich habe geantwortet: Natürlich nicht."

Er nickte. „Natürlich nicht. Ja. Das hast du gesagt. Natürlich! Ist es so natürlich, nicht glücklich zu sein?"

Ich blickte betroffen auf den Boden.

„Ich will dich etwas fragen", redete er weiter. „Wenn du nicht mit allem zufrieden bist, was du tust, warum handelst du dann nicht anders?"

„Weil es nicht so einfach ist!" rief ich fast böse. Ich bekam langsam ein äußerst beklemmendes Gefühl. Deshalb reagierte ich aggressiv.

Johannes lächelte sehr freundlich. „Du bist getroffen, nicht wahr?"

Ich nickte.

„Das ist gut, wenn ich dich treffe. Wir haben uns nicht getroffen, um aneinander vorbei zu reden. Zurück zum Ändern: Was hindert dich daran?"

Ich mußte lange nachdenken. Viele Gedanken schwirrten mir in Bruchstücken durch den Kopf. Gedanken, die ich oftmals schon gedacht hatte, um sie schleunigst wieder zu verwerfen. Da war wieder dieser Punkt: Meine Feigheit. Viele Änderungen scheiterten an dem kindlichen Festhalten an Eigentum, Besitz und Sicherheit. An der Furcht vor dem Nachher. Ich würde das im Normalfall niemals zugeben, sondern nach gescheiten Ausreden suchen. Oder die Schuld für meinen mangelnden Mut bei den Eltern oder der Gesellschaft suchen. Aber was soll ich denn machen? Klar, schoß es mir durchs Gehirn, einfach Mut fassen und ändern. Doch diese entsetzliche, lähmende Angst. Aber da war noch etwas.

„Teilweise hast du sicher recht", sagte ich. „Für vieles bin ich selber verantwortlich, was mir nicht gefällt. Aber du darfst nicht vergessen, daß ich auch Verpflichtungen gegenüber meinen Mitmenschen habe. Natürlich auch Zwänge. Ich meine damit, daß ich zum Beispiel arbeiten gehen muß, daß ich Freunde habe und so weiter. Denen gegenüber trage ich auch so etwas wie Verantwortung. Andere haben sogar noch Frau und . . ."

Er unterbrach mich: „Du redest von Verantwortung gegenüber anderen und übernimmst nicht einmal die Verantwortung für dich selbst! Außerdem, wer zwingt dich denn, Verpflichtungen einzugehen und Zwänge zu befolgen?"

Meine Stimmung wurde immer gereizter. Er begann mir auf die Nerven zu gehen, er schien doch etwas weit weg von der Realität des Lebens. „Du willst doch nicht etwa behaupten, daß ich in unserer Welt ohne gewisse Verpflichtungen auskomme! Und den meisten der täglichen Zwänge kann ich doch gar nicht mehr entgehen!"

Johannes lächelte mich freundlich an. Dieses Mal ging er mir damit auf die Nerven. Er stand auf und ging ein paar Schritte hin und her. „Du bist wütend", sagte er nach geraumer Zeit.

Ich antwortete nicht.

,,Ich kann mir sehr gut vorstellen", redete er weiter, ,,was dich wütend macht. Du denkst, daß ich es bin, weil ich so fern von deiner Realität zu sein scheine. Doch gehe mal ein bißchen tiefer und sieh mal, was deine Wut tatsächlich auslöst."

,,Das hast du gerade selber gesagt", murmelte ich trotzig vor mich hin.

Er ließ sich nicht beirren. ,,Es ist d e i n e Wut, Klaus. Ich habe mit deiner Wut nur soweit etwas zu tun, daß ich sie ausgelöst haben mag. Doch deine Gefühle sind angesprochen. Was macht dich wütend?"

Johannes hatte mich zum ersten Mal bei meinem Namen genannt. Das wirkte auf mich, als würde ich aus einem langen Tunnel wieder an die frische Luft kommen. Es gab irgendeinen Ruck in mir. Gleichzeitig wurde mir bewußt, daß er recht hatte. Ich war durch die Diskussion mit ihm an empfindlichen Stellen getroffen worden. Ich fühlte mich in die Enge getrieben. Doch diese Enge war ich selber. Ich war auf mich und meine Gefühle zurückgeworfen worden, als ich versucht hatte, Johannes intellektuell zu bekämpfen.

Er setzte sich wieder und griff nach einem neuen Stück Brot. Mir bot er ebenfalls ein Stück an, doch ich schüttelte den Kopf. Mir saß ein dicker Kloß im Hals. Ich konnte jetzt unmöglich essen.

,,Du hast meine Frage nicht beantwortet", sagte er und riß mich damit aus düsteren Gedanken.

Ich sah ihn fragend an.

,,Wer zwingt dich, Verpflichtungen einzugehen und dich Zwängen hinzugeben?" fragte er noch einmal.

Es fiel mir schwer, zu antworten. Ich mußte mich räuspern und sagte mit belegter Stimme: „Die Umwelt zwingt mich. Die Gesetze ebenso. Und meine Mitmenschen erwarten ein gewisses Maß an Zuverlässigkeit, an Verpflichtung von mir."

Johannes nickte bedächtig. „Ja", sagte er, „all dies zwingt dich also." Er kaute eine Weile still vor sich hin, während mir sehr heftige Gefühle zu schaffen machten. Ich versuchte verzweifelt, nicht die Beherrschung zu verlieren. Ich war schon wieder nahe am Weinen, an einem bösen, wütenden Weinen. In Gedanken versuchte ich, den Grund dafür zu erfassen, doch es wollte nicht gelingen.

Als Johannes weiter sprach, wurde mir mit einem Schlag bewußt, was mit mir los war. „Ist es nicht eher so", sagte er, „daß du dich zwingst, auf die Mitmenschen, die Umwelt und die Gesetze Rücksicht zu nehmen, gewisse Zwänge zu befolgen? Ist es nicht deine eigene Entscheidung, die du getroffen hast, weil du es so für richtig hieltest? Oder weil du unangenehme Konsequenzen vermeiden wolltest?"

Ich konnte mich auf keinen Gedanken mehr konzentrieren. Seine Worte lösten eine Flut von Empfindungen aus, wie ich sie oft als Kind spüren mußte: Ohnmacht, Wut, Haß und Resignation, alles gleichzeitig. Mühsam bewahrte ich die Beherrschung und bemühte mich, Klarheit in meinen Gedanken zu finden.

Widerspruch wäre jetzt Lüge gewesen. Selbstverständlich war es einzig und allein meine Entscheidung, was ich zu tun hatte. Jeden Tag aufs neue. Und meine

Entscheidungen waren schon mein ganzes Leben lang eine einzige Reihe von Vermeidungen. Keine Entscheidungen, sondern nur Angst vor unangenehmen Folgen. Es mag albern klingen, was mir in diesem Augenblick durch den Kopf ging, doch es war so. Als Kind habe ich hauptsächlich gelernt, mich so gegenüber der Umwelt und den Eltern zu verhalten, daß die Folgen möglichst angenehm für mich waren. Oft hätte ich viel lieber anders gehandelt. In die Schule bin ich nur gegangen, um die Strafen der Eltern und Lehrer zu vermeiden. Als Erwachsener bin ich in der Hauptsache deshalb einem Beruf nachgegangen, um finanzielle Unsicherheit zu vermeiden. Zu vielen meiner Freunde und Bekannten habe ich eine Beziehung, um das Alleinsein zu vermeiden. Nicht, weil sie mir etwas bedeuten würden, im tiefsten Herzen waren mir fast alle völlig gleichgültig. Manchmal ging diese Haltung so weit, daß ich lieber zugab, unfähig zu sein, bloß um das mühsame Erlernen von vielleicht wichtigen Fähigkeiten zu vermeiden.

Ich könnte noch vieles aufzählen, was mir durch den Kopf raste. Blitzartige Lichter waren es, die eines nach dem anderen ein Stück meines Lebens erhellten. Sie ließen vieles in einem hellen Licht erkennen und ich konnte mich dieses Mal nicht einfach abwenden. Diese Lichter waren in mir, sie ließen sich nicht vertreiben.

Ich muß eine ganze Weile völlig versunken gewesen sein in all dieser Verwirrung. Langsam tauchte ich wieder auf, gewann meine Fassung wieder. Und prompt schaltete sich mein Verstand wieder ein. Diesem Denken, Erkennen und Fühlen widerstrebten meine grundsätzlichsten Normen und Werte. Doch wer hatte diese Normen gesetzt? Waren sie nicht auch bloß Vermeidungen?

Unbedingt mußte ich mir ein paar meiner Gedanken notieren. Ich hatte nichts zum Schreiben dabei und fragte Johannes danach.

„Du brauchst dir nichts aufzuschreiben", sagte er. „Dir wird der heutige Tag mit allem, was wir gesprochen haben, gut im Gedächtnis bleiben."

Ich bat ihn dennoch um etwas zum Schreiben, falls er solche Dinge wie Papier und Bleistift dabei habe. Er lächelte und kramte in seinem Beutel umher. Tatsächlich holte er einen abgenutzten Bleistift und einen alten Schreibblock hervor, der noch ein paar leere Seiten enthielt. Für spätere Aufzeichnungen versuchte ich wenigstens, ein paar Stichwörter zu notieren, doch es gelang nicht. Zudem hatte Johannes mit seiner Bemerkung mir wieder bewußt gemacht, unter welch seltsamen und mysteriösen Umständen wir miteinander sprachen. Im Eifer der Diskussion hatte ich das völlig vergessen.

Plötzlich begann Johannes wieder zu sprechen: „So ist es. Du hast es in der Hand, über deine Handlungen, über deine Reden zu entscheiden. Denken kannst du sowieso, was du willst. Und so geht es auch unserem Fließbandarbeiter. Er könnte in einem gewissen Rahmen manches ändern. Aber er ist ein mündiger und erwachsener Mensch. Er hat das Recht, sich so zu entscheiden, wie es ihm richtig erscheint. Offensichtlich hat er sich für seine Form des Lebens entschieden, auch wenn es meistens Angst war, die ihn Entscheidungen treffen ließ. So geht es auch dir."

,,Du hast eben eingeräumt", erwiderte ich, ,,daß dies nur in einem gewissen Rahmen geht."

,,Natürlich", lachte er. ,,Du mußt essen, trinken, atmen. Doch sogar hier ließe sich anders entscheiden. Du kannst tun, was immer du willst, wenn du bereit bist, die Folgen auf dich zu nehmen."

,,Vielleicht hast du recht", sagte ich mehr zu mir selber als zu Johannes. ,,Im Grunde kann ich sogar jemanden umbringen, wenn ich die Konsequenzen auf mich nehme. Und ich will nicht wissen, wieviele Morde nicht geschehen aus Angst vor den Folgen."

Ich sann schweigend vor mich hin. Mir war nicht wohl zumute, auch wenn ich mich wieder ein wenig gefangen hatte. Ein flaues Gefühl breitete sich in der Gegend meines Magens aus. Einmal mehr meldeten sich tiefe und vergessene Regungen. Dieses Mal fühlte ich, daß ganz langsam eine Ahnung heraufdämmerte, eine Ahnung davon, was diese Regungen wirklich waren.

,,Ich will diesen Punkt noch einmal auf eine andere Art beleuchten", fuhr Johannes fort. ,,Die Gesellschaft, in der du lebst, wird aus vielen Einzelwesen gebildet. Und die Mehrzahl dieser Einzelnen entscheidet darüber, wie das Zusammenleben geregelt wird. Natürlich geschieht diese Entscheidung nicht immer bewußt, jedenfalls nicht in dem Sinn einer wohldurchdachten und mit Vor- und Nachteilen sorgfältig abgewogenen Entscheidung. Aber sie wollen so leben, wie sie es tun. Andernfalls würden sie anders leben."

An diesem Punkt war es mir nicht wohl. Im Grunde war ich anderer Meinung, wurde aber unsicher und erwiderte deshalb nichts.

„In deinem Land", sprach Johannes weiter, „leben etwa sechzig Millionen Menschen. Würde die Mehrheit dieser Menschen sich ebenso einheitlich gegen die bestehende Ordnung wehren, wie sie diese jetzt dulden, gäbe es sehr bald eine andere Ordnung."

Ich schüttelte den Kopf. „Nein!" erwiderte ich. „Ich meine immer noch, daß du dies alles zu einfach siehst. Wenn man seine Situation ändern will, braucht man es bloß zu tun. Das meinst du doch, nicht wahr?"

Er nickte.

„Nimm mal ein anderes Beispiel, die Situation der Frauen", fuhr ich fort. „Sie sind gegenüber den Männern benachteiligt, das kannst du doch wohl kaum leugnen."

Er lächelte. „Du hast recht", sagte er.

„Also gut. Würdest du auch in diesem Fall sagen, daß es sich schnell ändern würde, wenn sie nur wollten?"

„Natürlich. Würde den Frauen ihre, übrigens nur auf den ersten Blick so schwache, Situation gegenüber der Männerwelt nicht passen, würden sie es ändern. Nur wenige wehren sich und ereifern sich, obwohl viele eher persönliche Konflikte dabei abreagieren, statt reale Einschätzungen zu haben. Möglicherweise haben diese wenigen objektiv recht. Doch die Mehrheit der Frauen empfindet entweder ihre Lage als gar nicht so übel oder sie ist trotz ihrer schwächeren Position zufrieden. Sie sind so zufrieden, daß die besten Argumente zum Beispiel der Feministinnen auf keinen fruchtbaren Boden fallen."

Ich wiegte meinen Kopf hin und her, bedachte meine Einwände und suchte nach dem Punkt, an welchem ich endlich einhaken konnte. Schließlich sagte ich: „Diejenigen, die irgendwo Macht haben, verfügen meist auch über Mittel und Wege, die Unterdrückten klein zu halten. Wirtschaftliche Abhängigkeit, zum Beispiel, oder mangelnde Bildung machen Änderungen für die Abhängigen fast unmöglich. Ja, das ist es! Wenn man keine ausreichende Bildung hat, kann man seine Situation nicht einmal durchschauen, wie soll man dann aus Abhängigkeiten herauskommen?"

Johannes lachte. Er lachte herzlich und fröhlich, als hätte ich einen besonders guten Witz erzählt. Ich wurde dadurch unsicher und ärgerlich. Als er sich beruhigt hatte, meinte er: „Du machst mir Spaß! Eine hohe Meinung hast du von sogenannten Abhängigen nicht, was?" Er mußte schon wieder lachen.

„Warum lachst du so?" fragte ich fast beleidigt.

„Sei mir nicht böse", sagte Johannes, hörte aber nicht auf zu lachen. „Ich will es dir gleich erklären", sagte er nach einer Weile. „Es liegt nicht an dir, sondern an Erfahrungen, die ich gemacht habe und die mir eingefallen sind. Zunächst ist mir aber aufgefallen, daß ich die Mehrzahl der Menschen, die du ja wohl als Unterdrückte und Abhängige bezeichnen würdest, nicht für so dumm halte wie du. Ich glaube, denen ist ihre Situation oft viel klarer, als du es dir vorstellen kannst. Doch sie wollen es nicht anders."

Ich mußte heftig schlucken. Der Vorwurf, ich würde die Masse für dumm halten, traf mich heftig. Johannes hatte damit recht.

„Ja, und dann darfst du eines nicht vergessen", sprach Johannes, jetzt wieder ernst geworden, weiter. „Zur Unterdrückung gehören immer zwei: Einer, der unterdrückt und einer, der sich unterdrücken läßt. Du magst beides nicht gut finden, aber die Beteiligten denken offensichtlich anders."

Ich wußte nichts zu antworten. Johannes hatte es geschafft, mich zu verwirren. Mir war allerdings völlig unklar, welches seiner Argumente mich widerlegt hatte. Vielleicht lag es auch gar nicht an dem, was er sagte.

„Nun komme ich zu dem Punkt, wegen dem ich so lachen mußte", sagte Johannes. „Du hast von Bildung und wirtschaftlicher Abhängigkeit gesprochen. Das alte Gerede von der Änderung der ökonomischen Verhältnisse, was dann auch ganz automatisch die Menschen ändert. Nein, das siehst du jetzt zu einfach."

Er dachte einen Moment nach. Ich versuchte währenddessen, meine Gedanken zu sammeln, um aufmerksam zuhören zu können. Irgend etwas in mir schien mich ablenken zu wollen. Ich war mir nicht sicher, doch hatte ich den leisen Verdacht, daß mir das Gespräch mit Johannes peinlich wurde. Obwohl das Thema, welches wir diskutierten, eigentlich unverfänglich für mich erschien, betraf es mich persönlich weit mehr, als ich vermutet hätte. Auch wenn die meisten Argumente von ihm sofort meinen Widerspruch weckten, sprachen sie etwas in mir an. Es war wie ein Splitter in meinem Fuß, der nicht weh tat und mir kaum Beschwerden verursachte. Doch bei jedem Schritt fühlte ich, daß er da war und mich nicht verließ. Und jeder weitere Schritt in unserem

Gespräch würde ihn mir tiefer in den Fuß bohren. Ich spürte das, und sicher hatte ich genau davor Angst. Es war ein Splitter, den ich kannte, den ich bisher immer geleugnet hatte, auch vor mir selbst. Es war nichts anderes, als das verschwiegene Wissen, daß ich mit all meinen Entschuldigungen und Argumenten nicht irgendwelche Unterdrückten oder Abhängigen verteidige. Es geht mir um mich selber. Ich verteidige meine eigenen Unfähigkeiten, mein eigenes Unterdrücktsein, meine eigenen Abhängigkeiten. Ganz langsam wurde mir dieses Wissen so sehr verdeutlicht, daß ich nicht mehr leugnen konnte. Um nur ein wenig Achtung vor mir selber zu bewahren, mußte ich diese Tatsache wahrnehmen.

Johannes begann weiter zu sprechen:

„Du kennst eine ganze Reihe von Leuten, die wirtschaftlich keineswegs völlig unabhängig, doch durchaus nicht so abhängig sind wie unser Fließbandarbeiter. Das ist doch richtig?"

Ich nickte.

„Diese Leute", fuhr Johannes fort, „haben meist auch eine ausgesprochen gute Bildung, oft sogar ganz enormes Wissen. Das stimmt doch auch, nicht wahr?"

„Ja", sagte ich.

„Wenn ich richtig informiert bin, finden sich in deinem Freundeskreis sogar einige Psychologen oder andere im sozialen Bereich Tätige."

Ich nickte wieder und wunderte mich schon nicht mehr. Was Johannes über mich wußte, kam sicher aus gut informierten Quellen. Ich nahm mir vor, diesen Punkt unbedingt noch mal anzusprechen.

Johannes sann eine Weile vor sich hin. „Dir ist sicher schon aufgefallen, daß diese wirtschaftlich Privilegierten und Gebildeten sich schon in den kleinsten Dingen genauso abhängig und widersprüchlich verhalten wie alle anderen auch. Wenn wirtschaftliche Verbesserungen und ausreichendes Wissen einen Menschen realer und bewußter leben lassen, dann suche mal bei genau diesen Freunden von dir nach der Wirkung. Du wirst keine finden, genauso wenig wie bei dir selbst."

Ich wollte widersprechen, doch er ließ mich nicht zu Wort kommen. „Sicher, du willst darauf hinweisen", sagte er, „daß gewisse Unterschiede zur Masse bestehen. Das ist richtig. Doch sind diese Unterschiede nur in der Offensichtlichkeit der Dummheit zu finden. Schau dir mal einen ganz normalen Psychologen an. Er weiß wohl am besten, was in Menschen vorgeht. Jeden Tag wird er unzähligen Leuten erzählen, wie man sich am besten zu verhalten hat. Und er weiß auch Rat, wenn sich jemand nicht so leicht ändern kann, wie er will. Er hat alles Wissen, das er für ein eigenes zufriedenstellendes Leben braucht. Er kennt jede Technik, die zur Lösung von Konflikten zwischen Menschen, von Problemen in dir selber führen kann. Und was macht er mit diesem Wissen? Er weiß es, und damit ist es genug. Er wendet all das, was er anderen als gut und richtig empfiehlt, auf sich selber nicht an. Ich könnte nun weiter fragen, ob er dann die Ratsuchenden nicht übers Ohr haut, wenn er ihnen Empfehlungen gibt, die für ihn selber anscheinend nichts taugen. Doch lassen wir diesen Punkt außer acht. Ich frage, was ihm sein Wissen nützt, außer daß er es im Kopf hat?"

Johannes hatte sich zum ersten Mal in eine gewisse Erregung geredet. Ich hatte das Gefühl, als würde ihn eine Erinnerung sehr heftig aufwühlen. Gleichzeitig traf er bei mir den Nerv vieler nächtlicher Gedanken und Fragen.

Er hatte unumwunden recht!

„Weißt du", nahm er etwas ruhiger den Faden wieder auf, „es geht nicht um Wissen als Bildung, als Information. Das geht nur über den Kopf und hat auch dort nur seinen Nutzen. Es geht um Bewußtsein, um das Wissen im Herz, um das Wissen, das du lebst. Und das kann auch ein Ungebildeter haben. Wie viele wissen sehr genau, was falsch und was richtig ist. Nimm die Raucher oder die Drogenkonsumenten. Glaubst du, die wissen nicht, daß es ungesund ist, was sie tun? Und trotz ihres besseren Wissens handeln sie jeden Tag falsch. Aus diesem Grund sind deine Argumente nichts wert. Ein Familienvater, der seine Frau und seine Kinder regelmäßig verprügelt, wird das auch dann noch tun, wenn die wirtschaftliche Struktur seines Landes für ihn besser ist, oder wenn er über mehr Bildung verfügt. Er wird sich erst dann zum Menschen entwickeln, wenn er will. Dann wird er sich ganz einfach anders verhalten. Und wenn sich alle anders verhalten würden, wäre die Wirtschaftsstruktur und vieles mehr in diesem Land anders."

In vielem hatte ich Johannes heimlich zugestimmt. Es wäre mir schwer gefallen, dies zuzugeben. Doch an diesem Punkt mußte ich einfach widersprechen. Er ging meinem gesamten Weltbild so sehr gegen den Strich, daß ich ihn widerlegen mußte.

„Du kennst sicher den alten Streit", begann ich zu argumentieren, „ob das Sein das Bewußtsein beeinflußt oder das Bewußtsein das Sein. Wahrscheinlich stimmt keine der beiden Meinungen, sondern jede dürfte ein Teil der Wahrheit sein. Das finde ich. Deshalb ist es zu einfach, wenn du sagst, die Menschen müßten ihr Bewußtsein ändern, und schon wäre alles in Ordnung."

„Das habe ich nicht gesagt", erwiderte Johannes. „Vor einer Änderung des Bewußtseins steht der Wille, sich überhaupt zu ändern. Der Mut, nicht vor jeder neuen Möglichkeit den Schwanz einzuziehen und ängstlich am alten, zwar schlechten, aber gewohnten Leben festzuhalten. Wenn dieser Mut von jedem einzelnen oder wenigstens von denen, die Bescheid wissen, aufgebracht würde, könnten sie neue, vielleicht bessere Erfahrungen machen. Sie könnten lernen. Sie würden nicht nur reden und diskutieren. Sie würden nicht nur mit klugem Wissen im Kopf herumlaufen. Nein, sie könnten mit Leib und Seele erfahren, was Leben wirklich ist. Sie könnten das Wesentliche sehen, weil sie plötzlich mit dem Herzen und nicht nur mit dem Verstand leben würden. Das ist es. Und das ist alles!"

Ich fühlte, daß in mir ein anderer war. Einer, der sich immer öfter bemerkbar zu machen versuchte. Er saß tief drinnen in mir. Der Mund war ihm zugeklebt, Arme und Beine waren gefesselt. Deshalb konnte er nicht laut schreien, nicht um sich schlagen. Wann hatte ich ihn gefesselt? Warum? Ich mußte wegschauen. Ich durfte ihn auf keinen Fall wahrnehmen. Er war der Splitter, den ich mir mit jedem Satz dieses Gespräches tiefer in den

Fuß trat. Sofort begann ich wieder zu reden: ,,Und wie soll das vor sich gehen? Wie entwickelt man ein neues Bewußtsein, wenn man durch äußere Zwänge davon abgehalten wird?"

Johannes erhob sich. Er seufzte tief und ging ein paar Schritte hin und her. Dann begann er, stetig im Kreis um mich herumzugehen. Nach einer Weile sagte er: ,,Weißt du, was ein totes Gespräch ist? So reden fast alle. Es ist, wenn man mit geschlossenen Augen, mit verriegeltem Gehirn und mit einer zugemauerten Seele redet und zuhört. Dieses viele tote Denken und tote Reden hat uns Menschen auseinandergebracht. In solchen Fällen sollten wir durch Schweigen, Schauen und Fühlen uns öffnen. Vielleicht kommen wir alle dann wieder zusammen."

Er schwieg und drehte weiter seine Runden um mich und den Baum, an dem ich gelehnt hatte. Jetzt saß ich starr, aufrecht und betroffen von seiner Wandlung da und beobachtete ihn nervös.

,,Du führst gerade ein totes Gespräch mit mir", fuhr er fort und blieb plötzlich vor mir stehen. Er sah mir mitten in die Augen, mit einem Blick, der mich innerlich zu zerreißen drohte. Nicht böse war er, sondern betroffen. Doch wie alles, was ich bei Johannes bisher erlebt hatte, schien er auch jetzt ganz intensiv bei sich zu sein. Er war die Betroffenheit selber. ,,Vielleicht ist es meine Schuld. Ich wollte mit dir reden und mich auf keinen Fall in eine Diskussion über etwas anderes einlassen. Ich habe es dennoch getan. Und du sitzt da und hörst mir mit verschlossenem Herzen zu. Bist verzweifelt darum bemüht, deinen Verstand beisammen zu halten und damit so beschäftigt, daß du nicht mehr zuhören kannst. Ich werde dich ein Weilchen allein lassen. Wenn du willst, warte hier. Wenn du schweigst, fühlst du vielleicht, was du nicht fühlen kannst, wenn wir diskutieren. Ich wünsche dir, daß du dich öffnen kannst."

Mit diesen Worten verschwand er in den Bäumen und lief den Hang hinunter. Ich sprang auf und lief ihm hinterher. Als ich ihn eingeholt hatte, begann ich sofort, auf ihn einzureden: „Du mußt auch mich verstehen. Ich finde nur, daß du dir alles zu einfach machst. Jeder soll die Verantwortung für sich selber übernehmen! Ganz so einfach ist das nicht. Und wenn du alles auf Wollen oder Nichtwollen reduzierst, stimmt das einfach nicht."

Johannes ließ sich nicht aufhalten. Er lief schweigend weiter. Als ich deshalb mit Reden aufhörte, blieb er plötzlich stehen, sah mich direkt an und sagte: „Ich halte nichts davon, dauernd zu plappern. Wie leicht hast du etwas zerredet, was du besser in Ruhe bedenken solltest. Laß all das, was ich dir gesagt habe, in Ruhe wachsen und reifen. Dann kannst du dir immer noch eine Meinung bilden. Wenn du jetzt weiterplapperst, flüchtest du nur vor Gefühlen und Gedanken, die du nicht ertragen kannst. Sei endlich standhaft oder zerrede die Dinge meinetwegen allein!"

Dann drehte er sich endgültig weg und ging weiter. Ich wußte, daß es jetzt ein Fehler wäre, ihm nachzugehen und blieb stehen. Mir wurde übel. Ich war nahe daran, mich übergeben zu müssen.

Mit weichen Knien kehrte ich zu meinem Platz zurück und setzte mich. Dann versuchte ich, meiner Verwirrung

Herr zu werden. Ich blieb ganz ruhig sitzen und ließ meine Gedanken und Gefühle aus mir fließen. Ich versuchte, mich darauf zu beschränken, sie einfach nur wahrzunehmen.

Langsam wurde ich ruhiger. Ich fühlte, daß es richtig war, in Ruhe zu beobachten, was in mir vorging.

Zunächst war ich trotzig. Was will denn dieser alte Kerl eigentlich? Sicher, er ist nett und hat eine unerklärliche Wirkung auf mich. Doch andererseits weiß ich nicht mal, wer er ist. Die Umstände unseres Zusammentreffens sind seltsam genug. Und nun regt er sich darüber auf, weil ich nicht alles, was er sagt, kritiklos hinnehme!

Noch während ich so dachte, spürte ich genau, daß ich mich dabei belog. Also verfolgte ich diese Lüge. Und ich fand, daß ich mich zu schützen versuchte. Ich glaubte, mich schützen zu müssen vor dem, was mir Johannes durch sein Wesen und sein Reden vermittelte. Ich suchte weiter, horchte in mich hinein.

Was vermittelte mir Johannes, daß ich mich davor schützen mußte? Johannes war ein Mensch, wie mir noch nie einer begegnet war. Er war so sicher, seiner selbst so sicher. Er schien so sehr in sich zu ruhen, daß alles, was er tat, eine beeindruckende Intensität ausstrahlte. Wenn er ging, war er das Gehen. Wenn er aß, war Essen in dem Augenblick für ihn das einzig Wichtige. Wenn er sprach oder zuhörte, war er so intensiv dabei, wie ich es noch nie bei einem Menschen erlebt hatte. Er war! Ganz einfach, doch so einfach, daß ich alles komplizierter machen mußte, um von der Klarheit dieses Menschen und seiner Ausstrahlung nicht erschreckt zu werden.

Die Wärme und Liebe, die ihn umgab, war in der Tat erschreckend für mich. Davor mußte ich mich schützen.

Meine Gedanken schweiften ab von Johannes. Sie führten zu dem, was er gesagt hatte und dadurch zu mir.

Wie recht hatte er doch in vielem. Ich muß an dieser Stelle einfügen, daß ich keineswegs ein politisch aktiver Bürger bin. Ja, in der Gewerkschaft bin ich, nehme auch hin und wieder an Versammlungen teil. Aber ich konnte mich bisher nicht aufraffen, in irgendeiner Gruppe oder Partei mitzuarbeiten. Die Teilnahme an solcher Aktivität wäre mir zuwider gewesen. Nicht aus sachlichen Gründen, sondern wegen der Menschen, die schon daran teilnahmen.

Der blinde, missionarische Eifer störte mich ebenso wie die Vorhersagbarkeit all ihrer Argumente. Nie hatte ich den Eindruck, Menschen vor mir zu haben, mit denen ich reden kann. Reden über das, was hier und heute geändert werden muß. Über mich und meine Bedürfnisse. Über meine Schwierigkeiten und Ängste. Das war bei all diesen politisch Aktiven unmöglich.

Ich wurde in diesen Gruppen niemals das Gefühl los, daß sie alle genauso zur Flucht vor sich selber dienen wie anderen die Diskothek oder der Fernsehapparat.

Und dann noch die Sprüche, die sie alle von sich gaben, um mit ihrem Wissen voreinander zu glänzen. Sie schienen mir so fern von dem, was Menschen wirklich bewegt. Arbeiterführer wollten manche gern sein, aber sie redeten so, daß sie kein Arbeiter verstehen konnte. Und auch ich habe nur selten kapiert, um was es da eigentlich geht.

Manche dieser Sprüche waren mir im Kopf schon klar, doch halfen sie mir nicht weiter. Da waren nämlich auch noch die Sprüche meiner Eltern, meiner Lehrer und Pfarrer, all jener, die mir ständig mit ihren Forderungen in den Ohren lagen. Sei brav und anständig, sparsam und pünktlich, vergiß nicht zu beten, lüg und stiehl nicht, und tausend andere Dinge.

Wenn in einer Diskussion mit einem Freund alles Übel der Welt nur am System, nur an den Kapitalisten lag, dann fühlte ich mich an andere erinnert, die mir weiszumachen versuchten, alles Übel läge am Onanieren oder am Teufel oder an was weiß ich! Ich will niemanden verteidigen, aber ich will realistisch bleiben. Und wenn mir wieder einer meiner Freunde erklärt, daß die herrschende Klasse sich solidarisch gegen das Volk wendet, weiß ich nie, wovon er eigentlich redet.

Ich habe anscheinend immer nur mit wandelnden Büchern aus Papier geredet, nicht mit Menschen aus Fleisch und Blut.

All diese Gedanken, die ich niemals ausgesprochen hatte, gingen mir durch den Kopf. Und ich notierte sie, nahm sie wahr und ließ sie gewähren.

Heftige Wut stieg in mir hoch, Wut auf viele meiner Freunde. Diese unterschwellige Wut war schon immer dagewesen, gespeist von dem Gefühl der Hilflosigkeit, des blinden Umherirrens.

Plötzlich sah ich ihn wieder: Den geknebelten und gefesselten anderen in mir. Ich weiß nicht, warum er mir gerade jetzt in den Sinn kam. Ich schob ihn beiseite und dachte wieder an meinen Freundeskreis.

Johannes hatte den Nagel auf den Kopf getroffen. Wie oft hatte ich mich schon gefragt, warum sie nur so klug daherreden. Wenn sie so vieles wissen, warum handeln sie nicht danach?

Ich kenne eifrige Verfechter der These, daß Privateigentum unbedingt abgeschafft werden müsse, die sich nicht davor scheuen, ihre Partner als Privateigentum zu behandeln. Und an ihr bißchen sonstiges Eigentum klammern sie sich, als ginge es um Leben und Tod.

Ich kenne andere, die gegen Atomkraftwerke sind, weil sie ihrer Meinung nach eine Gefahr für unsere Umwelt sind. Sie regen sich darüber auf, daß in allem, was wir essen, Gifte enthalten sind. Und während sie nächtelang darüber diskutieren, vergiften sie sich fleißig selber mit Nikotin und Alkohol. Warum kämpft ein Mensch gegen radioaktive Gefahr und gegen Gifte in der Nahrung, wenn er sich täglich freiwillig selbst vergiftet? Niemand ist gezwungen zum Rauchen und Trinken.

Wieder andere berichten begeistert von ihrem Kampf an der Seite der werktätigen Bevölkerung, obwohl sie noch nie eine Fabrik von innen gesehen haben. Wenn einer tatsächlich mit einem Arbeiter ins Gespräch kam, verstand der überhaupt nichts. Was fängt er auch mit einer Diskussion über den dialektischen Materialismus an?

Wie oft hatte ich mir all diese Fragen gestellt! Wenn ich einmal besonders mutig oder wütend war, sprach ich meine Freunde darauf an. Doch sie waren alle Meister in der Kunst, viel zu reden und nichts zu sagen. Vor allem dann, wenn sie auf Fragen keine Antwort wußten.

Wieder stieg eine unheimliche Wut in mir hoch. Eine Wut auf mich selbst, auf meine Unfähigkeit, die nötigen Fragen so zu stellen, daß ein Ausweichen nicht mehr möglich ist. Mir fielen die Psychologen unter meinen Bekannten ein. Johannes hatte völlig recht: Sie wissen am besten, was in Menschen vorgeht. Obwohl sie jeden Tag ihren Klienten erzählen, daß es nicht richtig ist, sich selbst zu belügen, tun sie es selber. Sie belügen sich sogar noch raffinierter als andere. Sie wissen, wie man Verhaltensweisen ändern kann. Aber sie bleiben selber in ihrem eigenen Mist stecken, auch wenn er ihnen bis zum Hals steht. Mit den kompliziertesten Argumenten leugnen sie ihre eigenen Probleme, oder sie sehen Probleme dort, wo gar keine sind. An Lösung ihrer Probleme denken sie anscheinend nie!

Vielleicht wurde ich jetzt in meiner Wut etwas ungerecht. Doch ich hatte oft die Erfahrung machen müssen, daß diese Fragen an die Betreffenden nicht gestellt werden können. Sie hatten Angst vor solchen Fragen.

Ich wurde immer wütender auf mich selbst. Noch nie hatte ich es geschafft, Antworten so lange zu fordern, bis ich sie auch erhielt.

Andere Sätze von Johannes fielen mir ein. Die Sache mit der eigenen Verantwortung. Machte ich jetzt nicht andere dafür verantwortlich, daß meine Fragen ohne Antwort blieben? Machte ich nicht tatsächlich für das meiste immer andere verantwortlich?

Ich wußte keine Antwort. Statt dessen fühlte ich wieder diesen anderen in mir. Ich spürte, daß er mich zu einer Antwort auf viele Fragen führen könnte. Doch ich hatte ihn gefesselt und geknebelt. Ihn, der ich selber war. Ich hatte mich selbst gefesselt! Und sogar dafür gab ich anderen die Schuld.

Sicher traf meine Eltern und meine Umwelt einen großen Teil Schuld daran, daß ich mich gefesselt hatte. Doch hätte ich wirklich nichts Besseres daraus machen können?

Niemand kann etwas dafür, wie er gemacht worden ist, doch jeder kann durchaus etwas dafür, was er weiter aus sich gemacht hat. Kein Mensch ist gezwungen, sein Leben lang der brave Junge oder das liebe Töchterlein zu sein. Keiner muß noch als Erwachsener wie ein abhängiges Kind handeln. Jeder hat die Möglichkeit, alles in Frage zu stellen und für sich neu zu überdenken. Und wenn er dann sogar zu denselben Schlüssen und Regeln gelangt, wie er sie vorher hatte, so hat er sie sich doch erarbeitet und nicht nur folgsam übernommen.

Diese Möglichkeit, das wurde mir immer deutlicher, gibt es für jeden, wenn er nur will. Doch warum will einer nicht?

Plötzlich kamen mir Formulierungen in den Sinn, mit welchen das Abschieben von Verantwortung zum Alltag wird: Nicht ich tue etwas, sondern man tut. Wer ist „man"? Nicht ich fühle, sondern ein Gefühl ergreift mich. Kein Mensch erhöht die Preise, sie steigen von selbst. Eine Situation ergibt sich, ich kann nichts dafür und habe auch nichts dazu getan. Die Umstände erfordern. Eine Maßnahme erfolgt. Die Nachfrage bestimmt den Preis. Die wirtschaftliche Situation läßt leider nichts anderes übrig.

Da handeln und bestimmen tote und nicht faßbare Begriffe. Kann ein Preis steigen? Ist da niemand, der ihn erhöht? Kann eine Situation etwas erfordern? Hat keiner sie herbeigeführt?

Anscheinend wird alles nur noch von anonymen Mächten gelenkt. Keiner scheint mehr etwas zu machen, sondern mit uns wird etwas gemacht.

Eine feine und bequeme Ausrede wäre das. Wenn ich mich machtlos und ausgeliefert fühle, habe ich auch keine Verantwortung mehr für das, was geschieht. So einfach ist das. Und genau so habe ich es immer gemacht.

3 Die Heimkehr

Plötzlich stand Johannes vor mir, groß und übermächtig. Ich sei genauso feige wie alle anderen, schrie er. Ich wüßte genau, was mit mir los ist. Aber ich sei zu feige, ich sei wie ein kleines Kind, das sich nichts traut!

Zunächst war ich sprachlos. Ich begriff überhaupt nicht, was los war. Dann schrie ich zurück. Laß mich doch in Ruhe, brüllte ich. Woher willst du wissen, was mit mir los ist?

Er ließ sich nicht beirren. Kümmere dich endlich mal um dich selber, statt über andere zu jammern! Aber du machst ja in die Hosen vor deinen eigenen Wünschen. Du hast ja Angst vor dir selbst!

Ich sprang auf. Jetzt reicht's aber! rief ich und machte einen Schritt auf ihn zu.

Getroffene Hunde bellen, wie? lachte er. Habe ich dich endlich getroffen? Dann bist du ja noch da! Dann lebst du ja doch noch! Du, der du nicht mehr fühlst, was Leben ist. Der Bücher statt Menschen liebt. Der lieber ins Kino geht, weil ihm das wirkliche Leben zu gefährlich ist. Lebst du also doch noch?

Sei sofort ruhig! brüllte ich. Hör sofort auf damit!

Ah, du bist genauso verlogen wie alle anderen, rief Johannes. Du kannst die Wahrheit nicht hören. Du hast dir sogar die Lüge zum Werkzeug gemacht, um dein erbärmliches Leben ertragen zu können! Um nicht zu spüren, was das Leben in dir will. Das Leben hinter deiner Pappfassade, hinter der du dir in die Hosen machst vor Angst, jemand könnte dich entdecken. Siehst du ihn denn nicht, den Menschen in dir?

Er kam auf mich zu, packte mich am Kragen und rief: Hier, sieh genau hin! Da sitzt dein Leben!

Und dann sah ich ihn wieder. Geknebelt und gefesselt saß er in einem dunklen, fensterlosen Raum. Es machte mir unerträgliche Angst, ihn zu sehen. Plötzlich war auch Johannes da. Er ging auf den anderen zu und riß ihm die Fesseln vom Leib. Er zerfetzte den Knebel und rief: Steh endlich auf!

Der andere stand auf. Er, der ich war. Er, der ich als Kind schon gewesen bin. Den aber niemand hat wachsen lassen. Den ich ängstlich versteckt hatte.

Er stand auf und wuchs. Er wuchs ungeheuer. Bald füllte er den ganzen Raum. Doch er wuchs weiter, drückte mich an die Wand.

Dann sprengte er die Mauern. Kilometerweit flogen die Steine umher. Und er stand zum ersten Mal in seinem Leben im Licht.

Und er begann zu schreien. Er schrie aus der Tiefe seiner Seele, wie niemals zuvor ein Mensch geschrien hatte. Sein Schrei ging mir durch Mark und Bein. Ungeheure Ströme wurden in mir wach. Und er wurde größer und größer, und sein Schrei erschütterte das Universum.

Plötzlich merkte ich, daß ich es war, der schrie! Jahrelange Schmerzen strömten aus meinem Körper. Sie verließen mich als ein Schrei, der meine Mauern zerfetzte. Die Mauern, die mir jahrelang Schutz geboten, doch die mir auch den Zutritt zum Leben verbaut hatten. Sie fielen in sich zusammen. Und ich brüllte all meinen Schmerz hinaus in die Welt.

Johannes kam langsam auf mich zu und nahm mich sanft in seine Arme. Behutsam drückte er mich an sich. In diesem Augenblick brachen noch mehr Dämme in mir.

Ich fühlte, wie ungeahnte Verkrampfungen sich lösten. Ich fühlte die entsetzlichen Schmerzen, die ich aus Gewohnheit nicht mehr gefühlt hatte. Unglaubliche Kräfte stiegen in mir hoch, Kräfte, die ich jahrelang unterdrückt hatte.

Ich fühlte, wie sehr ich mich selber unterdrückt hatte und wurde von einer maßlosen Wut ergriffen. Blindlings schlug ich plötzlich um mich und prügelte auf Johannes ein. Er wehrte sich nicht, hielt nur die Arme vors Gesicht und ließ mich gewähren. Ich wußte nicht mehr, was ich tat.

Besinnungslos schlug ich weiter um mich, bis zum Zusammenbruch. Schluchzend fiel ich ins Gras und wimmerte wie ein kleines Kind.

Johannes beugte sich zu mir herab und sagte leise: „Sprich es aus. Sag, was dir weh tut."

Plötzlich kam ich zu mir. Irgend etwas war nicht richtig gewesen, und mit einem Schlag war ich durch diese Aufforderung von Johannes wieder in der Realität. Ich mußte eingeschlafen gewesen sein. Vielleicht hatte ich geträumt, doch wenn es ein Traum war, dann war er wirklicher gewesen als mein ganzes Leben. Ich weinte hemmungslos, während Johannes mich immer wieder aufforderte, meinen Schmerz auszudrücken.

„Du hast geträumt", sagte er, „und dein Traum war wichtig. Er hat dir deine Schmerzen gezeigt. Doch jetzt mußt du sie aussprechen."

Je öfter er dies sagte, desto mehr würgte sich etwas in meinem Hals langsam nach oben. Schließlich mußte ich mich übergeben und fühlte mich auf einmal sehr schwach, doch gleichzeitig frei wie noch nie.

Ich setzte mich auf und bemerkte, daß Johannes aus der Nase blutete. „Du blutest!" rief ich erschrocken. „Habe ich dich wirklich geschlagen?"

Er nickte. „Alles, was deine Schläge angerichtet haben, wird wieder heilen. Hättest du mich jedoch nicht geschlagen, würden deine Wunden vielleicht niemals heilen."

Er erhob sich. „Komm mit", sagte er, „ich will mich waschen, und dir würde das sicher auch gut tun."

Immer noch fühlte ich mich schwach und ausgelaugt und trotzdem gereinigt von jahrelangem Schmutz. Johannes hatte recht: Mir würde es sicher gut tun, mich zu waschen, den herausgeträumten und herausgeschrienen Dreck abzuwaschen. Ich erhob mich und folgte ihm zu einem kleinen Bach, an dessen Ufer wir niederknieten.

Johannes wusch langsam und fast andächtig sein Gesicht. Das Wasser war kühl, klar und sauber. Ohne nachzudenken tauchte ich mehrmals meinen Kopf tief hinein, zog mich aus und wusch meinen ganzen Körper. Noch nie hatte ich Wasser so erquickend empfunden.

Anschließend ließ ich mich nackt ins Gras fallen und genoß das tiefe, ergreifende Gefühl einer äußeren und inneren Reinheit. Ich wurde in einer beinahe religiösen Weise davon berührt und fühlte mich plötzlich wie neugeboren. Mein Kopf war so klar, daß ich es unmöglich beschreiben kann. Für Sekundenbruchteile wußte ich alles Wissen dieses Universums, doch war dieses Gefühl schnell wieder verflogen. Was blieb, war eine ungewöhnliche Klarheit in meinem Gehirn, eine fast mystische Reinheit in meinem Körper.

Johannes setzte sich neben mich und schwieg. Der Tag schien dem Ende nahe, denn die Sonne stand schon tief. Dennoch wärmte sie mich angenehm, und ich glaubte, die Kraft fühlen zu können, die von der Sonne in meinen Körper strömte. Es wurde Abend.

Schließlich erhob sich Johannes und sagte: „Gehen wir wieder zurück. Ich habe Hunger."

Ich stand auf und nahm Johannes, so nackt wie ich war, spontan in die Arme. Herzlich drückte ich ihn an mich, ohne das geringste Gefühl von Unsicherheit oder Peinlichkeit. In seiner festen und warmherzigen Art erwiderte er meinen Druck und ging dann wortlos voraus. Ich zog mich wieder an und folgte ihm.

Wir aßen von dem seltsamen Brot und tranken aus seiner Flasche. Und wieder füllte diese Nahrung meinen Körper spürbar mit Energie.

Nachdem wir in aller Ruhe gegessen hatten, begann Johannes wieder zu sprechen. Inzwischen war es beinahe dunkel geworden und eine stille und friedliche Nacht senkte sich langsam über uns.

„Du weißt", sagte Johannes, „daß ich mit dir reden wollte. Ich habe mich durch unsere Diskussion ablenken lassen, doch jetzt will ich endlich sagen, was ich zu sagen habe."

Er machte eine Pause und sah mich währenddessen nachdenklich an. „Hör mir bitte in Ruhe zu", fuhr er dann fort. „Nicht nur mit den Ohren und dem Gehirn, sondern mit deinem ganzen Körper. Laß allem, was ich sagen werde, Zeit. Es soll auf dich wirken können, bevor du es abwehrst und wieder Mauern um dich baust. Ich sage es dir nicht, um dich zu verletzen. Sollte es dich treffen, freue dich darüber, daß du noch getroffen werden kannst. Ein Mensch kann nur reifen, wenn er sich treffen läßt, doch niemand kann sich entwickeln, wenn er keinen an sich heranläßt."

Wieder machte er eine Pause und lächelte mich an: „Ich bitte dich nochmals: Nimm zunächst hin, was ich zu sagen habe und gib meinen Worten die Chance, dich zu erreichen, in dir aufzublühen. Später hast du noch ausreichend Zeit, um darüber nachzudenken. Du wirst das, was dir wertvoll und richtig erscheint, in dir behalten. Und all das, was nicht gut und richtig für dich ist, wirf dann einfach wieder weg. Du kannst dich für oder gegen alles entscheiden, doch entscheide niemals, bevor du aufmerksam zugehört hast."

Er blickte mich fragend an, und ich nickte.

„Noch etwas", fuhr er fort, „unterbrich mich bitte nicht. Versuch auch nicht, zu diskutieren, denn damit lenkst du nur meine Worte von dir ab. Wenn du all diese Bedingungen befolgen willst, ist es gut und ich werde beginnen. Wenn nicht, dann werden wir uns jetzt verabschieden. Entscheide dich also, ob du jetzt bleiben oder gehen willst."

Ich brauchte nicht lange zu überlegen. Die Wirkung unseres Gespräches hatte sich in meinem seltsamen Traum gezeigt. Ohne auch nur eine Sekunde über diesen Traum nachgedacht zu haben, war es mir klar, daß er über alle Maßen wichtig für mich war.

„Ich bleibe selbstverständlich!" sagte ich.

Johannes freute sich und machte keinen Hehl daraus. „Gut", meinte er. „Laß mir ein wenig Zeit zum Sammeln meiner Gedanken."

Er erhob sich und verschwand in der zunehmenden Dunkelheit. Einige Minuten lang hörte ich immer wieder seine Schritte in der Nähe.

Währenddessen ging mir mein Traum durch den Kopf. Ich erinnerte mich, daß Johannes mich aufgefordert hatte, meinen Schmerz in Worte zu fassen. Ich war dazu nicht fähig gewesen. Statt dessen hatte ich mich übergeben, meinen Schmerz auf diese Art herausgeschleudert. Jetzt konnte ich formulieren, was für ein Schmerz das gewesen war. Es war das Wissen um die unzähligen Möglichkeiten und Fähigkeiten, über welche ich verfügen könnte. Das Wissen um die Chancen, menschlicher miteinander zu leben, die ungenutzt weggeworfen wurden.

Mir war klar und deutlich bewußt geworden, was sein könnte, aber nicht ist. Die verlorene Freiheit, das verschenkte Glück, und die vergessene Freude. Meine Mitmenschen halten mich davon ab, so zu leben, wie ich es gut und menschlich finde. Doch die Möglichkeiten, die mir dazu geblieben waren, habe ich nicht genutzt. So vieles habe ich ungenutzt verstreichen lassen, habe meine eigenen Fähigkeiten unterdrückt und mit angezogener Handbremse gelebt.

Dabei herausgekommen war ein gefesselter und geknebelter Mensch, den niemand leben lassen wollte. Und die Schuld dafür hatte ich nur bei anderen, nur bei den Umständen, nur in meiner Umwelt gesucht.

Johannes kam zurück und setzte sich mir gegenüber.

„Du erinnerst dich", sagte er, „daß ich zu Anfang gesagt habe, du tust nicht das Wesentliche. Damit meinte ich zweierlei: Zum einen mußt du lernen, das Wesen der Dinge zu erfassen und entsprechend zu handeln. Zum anderen will ich versuchen, dir bewußt zu machen, daß du dein Leben mit unwesentlichen Dingen vergeudest. Zum ersten brauche ich nicht viel zu sagen. Du weißt sehr genau zwischen dem Wesen der Dinge und ihrer Oberfläche zu unterscheiden. Doch du hast Angst davor, dich mit dem Wesentlichen zu befassen und beschäftigst dich deshalb lieber mit der Oberfläche. Anderen wirfst du genau dies vor, doch auch du bist nicht in der Lage, wesentlicher zu leben."

Ich nickte und mußte dabei lächeln.

„Du hast es heute schon erkannt", sprach Johannes weiter. „Deine Angst schnürt dich ein, sie fesselt dich und hindert dich an der Entfaltung all deiner Fähigkeiten. Die Angst hindert dich am Leben, wohin du auch blickst. Und den meisten anderen geht es genauso. Sie stecken in einem tiefen Sumpf. Die meisten leiden darunter, doch kaum einer wagt es, den gewohnten Sumpf zu verlassen. Es scheint so, als würde er Sicherheit bieten, weil man gewohnt ist, in ihm zu leben. Doch hätten die Menschen immer noch Angst, wenn ihnen ihr Sumpf wirklich Sicherheit gäbe?"

Er sah mich lange an und schien dabei mit seinen Gedanken weit fort zu sein, in irgendeiner anderen Welt.

„Tief im Inneren spürt jeder die Möglichkeit, den Sumpf zu verlassen und an der Sonne zu leben. Doch die Angst vor der Sonne, vor der Freiheit, ja, die Angst vor den eigenen Möglichkeiten läßt uns in unserer gewohnten Umgebung verharren. Sie läßt uns den Gestank und die Unbeweglichkeit, die Dunkelheit und den Morast als annehmbar erscheinen. Und dabei versinkt jeder Tag für Tag ein Stück mehr in diesem Sumpf. Mit jedem Tag, den einer darin verbringt, wird es noch schwerer, ihn zu verlassen. Ja, und so beschäftigt sich jeder damit, wie man am besten den Gestank vertreibt, wie man den schleimigen und dreckigen Morast am besten ertragen kann und wie man die Zeit des allmählichen Versinkens noch am angenehmsten verbringt.

Johannes lächelte eine Weile bitter vor sich hin. Dann fuhr er fort: „Und das sind völlig unwesentliche und überflüssige Beschäftigungen. Wesentlich ist es, den Weg aus dem Sumpf zu finden, zu lernen, wie man sich in der Sonne bewegt, wie man lebt, wenn man nicht von Morast und Dreck eingeschränkt wird. An diesem Punkt komme ich wieder zu dir: Du würdest wahrscheinlich einwenden, daß ein Einzelner nicht viel ändern kann und daß der Sumpf zu groß sei."

Er sah mich fragend an. Ich blieb still.

„Ich sage aber, daß dies alles faule Ausreden sind, um deine eigene Angst zu verdecken und um deine eigene Dummheit nicht zu spüren. Jeder, der sich entschieden hat, in diesem Sumpf zu leben, weil er sich anscheinend wohl darin fühlt, soll meinetwegen darin versinken. Doch jeder, der es besser weiß, hat die Verantwortung für sich zu übernehmen und den besten Weg an die Sonne zu suchen. Es hilft weder ihm noch den anderen, wenn er jammernd immer weiter versinkt, den übermächtigen und riesigen Sumpf beschimpft, ihn aber aus Angst vor der Freiheit nicht verläßt. Und auch der Hinweis auf die vielen anderen, die dich nicht herauslassen, hilft dir nicht. Diesen Hinweis kannst du von jedem hören, und jeder schiebt die Verantwortung auf alles mögliche, nur nicht auf sich selbst. Das ist wie bei einer Wahl: Wenn alle sagen, daß es auf ihre einzelne Stimme nicht ankommt, wird keiner wählen. Wenn jeder in unserem Sumpf sich von der Angst der anderen anstecken läßt, wird niemals die Menschheit diesen Sumpf verlassen."

Er stand auf und ging ein paar Schritte hin und her, während er weiterredete: ,,Eine bessere Welt wird es niemals geben, solange jeder nur davon träumt. Nur wenn jeder damit beginnt, im Rahmen seiner Möglichkeiten menschlicher zu leben und nicht nur davon zu reden, nur dann wird das eintreten, wovon auch du träumst."

Er setzte sich wieder hin und blickte mich freundlich an. Ich versuchte, aufnahmefähig zu bleiben und nicht gleich alles wieder vernünftig zu durchdenken. Die Reaktionen, die dabei in meinem Körper abliefen, waren erstaunlich. Viele Sätze von Johannes lösten ganz direkt entsprechende körperliche Empfindungen aus. So bekam ich plötzlich kaum noch Luft, als er einige Zeit das Beispiel von dem Sumpf ausgeführt hatte. Dennoch war ich verblüffend gut in der Lage, mich nicht ablenken zu lassen, sondern einfach nur zuzuhören und wahrzunehmen.

Johannes lachte ein wenig vor sich hin und sagte dann: ,,Weißt du, es gibt genug Leute, die mit dem Kopf wissen, was getan werden sollte und was gut und richtig wäre. Doch ihre Angst bringt sie dazu, mit ihrem klugen Kopf den Körper und die Gefühle zu unterdrücken, einfach nicht mehr wahrnehmen zu wollen, was sie im Innersten genau wissen. Doch der Körper und seine Gefühle lassen sich nicht so einfach wegreden. Deshalb gibt es Leute, die für den Umweltschutz kämpfen und dabei kettenrauchen. Oder Leute, die ganz autoritär für eine antiautoritäre Gesellschaft eintreten. Oder Feministinnen, die von nichts anderem reden als von Männern. Psychologen, die mit sich selber nicht zurechtkommen. Kommunisten, die ihre Partner wie Eigentum behandeln. Und Christen, die überhaupt nicht christlich handeln. Ich könnte diese Liste beinahe unendlich fortsetzen. Ich will aber wieder zu dir kommen: Deshalb gibt es auch Leute wie dich, die sehr genau wissen, was sie selber tun könnten, es aber nicht tun."

Ich war wieder sichtlich betroffen. Johannes sprach in aller Deutlichkeit Gedanken aus, die ich schon oft gedacht, doch nicht auf mich selbst bezogen hatte.

„Also", nahm Johannes seine Rede wieder auf, „du weißt ganz gut, was wesentlich ist und daß es nicht richtig sein kann, davon abzulenken und sich mit Oberflächlichkeiten zu zerstreuen. Du hast für die Zukunft die Wahl: Entweder du bleibst gefesselt für dein ganzes Leben oder du machst dich frei. Um auf mein Beispiel zurückzukommen: Entweder du versinkst im Sumpf oder du versuchst, ihn zu verlassen. Damit komme ich zum zweiten Teil."

Er dachte eine Weile nach und fuhr dann fort: „Während unseres Gespräches kamen wir an einen Punkt, an welchem du schließlich sehr böse wurdest. Es ging um die Verantwortung für sich selber, um die Möglichkeit, zu tun, was immer du willst, wenn du die Konsequenzen zu tragen bereit bist. Du hast die realen Behinderungen und Einschränkungen durch das gesellschaftliche, politische und wirtschaftliche System betont, in welchem du lebst. Nun wäre es dumm, diese Behinderungen leugnen zu wollen. Es ist selbstverständlich, daß die bestehende Gesellschaftsstruktur erheblichen Einfluß auf alle Menschen nimmt. Ich will dieses System mit dem Sumpf vergleichen, der alle eingefangen hat und behindert, die nun mal in ihm stecken. Ich will nicht bestreiten, daß es sehr schwer ist, da rauszukommen. Ich glaube, daß ich deine Einwände und Bedenken sehr gut kenne, und ich berücksichtige sie auch."

Wieder erhob er sich, um während des Redens langsam und nachdenklich hin und her zu schreiten.

„Es geht mir nur darum, zwei Dinge richtigzustellen. Erstens wurde das System, in welchem du lebst, von Menschen geschaffen, und es kann auch von Menschen wieder geändert werden. Dazu müssen die Menschen es nur ändern wollen. Sie müssen den Sumpf verlassen wollen. Ich halte es für falsch, dem System die Schuld für die Unfähigkeit der Menschen zu geben. Die Masse der Menschen verhält sich so, daß dieses System möglich wird. Dabei sind die Beherrschten ebenso beteiligt wie die Herrschenden, weil beide dazugehören und die einen ohne die anderen nicht weitermachen könnten. Daß viele ein Interesse daran haben, die bestehenden Verhältnisse zu festigen, ist unbestreitbar. Sie glauben, es ginge ihnen gut, und wer will sich schon den eigenen Ast absägen? Es ist auch richtig, daß vieles im politischen und wirtschaftlichen System so übermächtig und verselbständigt erscheint, daß es von Menschen anscheinend nicht mehr beeinflußt werden kann. Trotzdem könnte auch dies nicht geschehen, wenn es die Mehrheit der Menschen nicht mehr wollte. Doch die meisten wollen es, sonst wäre es nicht so. Die meisten haben ganz einfach Angst davor, sich zu ändern, sich anders zu verhalten. Deshalb kann ein anderes System durchaus möglich sein, doch die Menschen werden genauso feige und abhängig sein wie vorher, solange sie sich nicht ändern wollen."

Johannes ging eine Weile schweigend hin und her, dann setzte er sich und seufzte wie erleichtert, als hätte er eine schwere Last abgelegt.

,,Ja, und das zweite ist", so fuhr er fort, ,,daß selbst im Rahmen aller Einschränkungen noch viele Möglichkeiten bestehen, mehr daraus zu machen, menschlicher miteinander umzugehen. Ich will es an einem Beispiel aus der Industrie verdeutlichen: Zwei Chefs in gleicher Position können sehr verschieden handeln und denken, obwohl sie beide als sogenannte Opfer des Wirtschaftssystems engen Bedingungen unterworfen sind. Der eine gibt jedem Druck von oben ängstlich nach und versucht, wenigstens gegenüber seinen Untergebenen Macht auszuüben. Der andere entscheidet je nach Lage der Dinge weitgehend sachlich und ist durchaus bereit, solidarisch mit seinen Angestellten auch mal dem Druck seiner Vorgesetzten standzuhalten, um eine seines Erachtens rich-

tige Entscheidung durchzusetzen. Oder einfacher aus-
gedrückt: Der eine macht vor Angst in die Hosen und
traut sich nichts zu, während der andere unabhängig
handelt. Ich will verdeutlichen, daß keineswegs jeder nur
voller Angst leben muß. Wenn es einer dennoch tut, sind
die gesellschaftlichen Bedingungen sicher auch daran
beteiligt, aber es liegt ganz allein an ihm persönlich,
wenn er nicht lernt, seine Angst zu überwinden, unab-
hängiger und freier zu werden."

Er lachte mich fast erleichtert an, als ich ein wenig
nickte.

„Ich habe es wohl schon mal gesagt, will es aber trotzdem wiederholen. Niemand kann etwas dafür, in welcher
Gesellschaft er aufgewachsen ist und wie er erzogen
wurde. Aber jeder kann durchaus etwas dafür, was er
später daraus macht, ob er nur voller Angst in seinem
Sumpf stecken bleibt oder ob er mit aller Kraft versucht,
sich zu befreien."

Noch einmal seufzte Johannes tief. Dann kramte er
nach seiner Flasche und trank einen Schluck.

„Und nun bin ich wieder bei dir", redete er dann weiter.
„Auch du hast deine Möglichkeiten noch lange nicht aus-
geschöpft. Denk an deinen Traum und an den Schmerz,
den du anschließend empfunden hast."

Woher kannte Johannes meinen Traum? Es hätte mich
sehr interessiert, ihn danach zu fragen, doch hatte ich
versprochen, ihn nicht zu unterbrechen.

„Ich komme jetzt zurück zu dem, was ich dir als wesentlich ans Herz legen wollte. Nimm noch einmal mein
Beispiel mit dem Sumpf. Jeder reagiert auf seine Weise

darauf, daß er in einem stinkenden Sumpf steckt, der ihn tagtäglich behindert. Die einen richten es sich so ein, daß sie die Behinderung gar nicht mehr spüren, daß sie sich eigentlich ganz wohl zu fühlen scheinen. Sie achten darauf, möglichst still zu halten, damit sie nicht zu schnell versinken, halten sich die Nase zu und fühlen sich vielleicht recht sicher. Die anderen konzentrieren sich ganz darauf, das langsame Versinken möglichst angenehm zu gestalten. Durch Gewohnheit und vermeintliche Sicherheit beziehungsweise durch die vielen Annehmlichkeiten merken es diese Menschen meist nicht mehr, daß sie allmählich in einem schrecklichen Sumpf versinken. Und wenn es ihnen in einer stillen Stunde mal wieder zu Bewußtsein kommt, läßt es sich mit Alkohol, Nikotin und anderen Drogen leicht und mühelos vergessen. Oberflächliche Vergnügen, meist schal und leer im Geschmack, vermitteln dann ganz schnell wieder das Gefühl, es ginge einem so gut wie noch nie."

Johannes grinste mich freundlich an.

„Bis jetzt würdest du mir sicher nicht widersprechen. Doch jetzt zu dir: Es gibt andere, denen es durchaus bewußt ist, daß in diesem Sumpf langsam aber sicher jeder bis auf den Grund gezogen wird, ohne jemals wirklich in der Sonne gelebt zu haben. Auch hier gibt es wieder zwei Möglichkeiten, zu reagieren. Die einen reden die ganze Zeit darüber, wie schön es an der Sonne wäre, wie der ganze Sumpf einem stinkt und wie schön es wäre, da rauszukommen. Aber das ist auch alles. Ansonsten leben sie genauso wie alle anderen. Die Vergnügungen mögen etwas anders aussehen, vielleicht bewegt sich der eine oder andere etwas mehr, versucht mal diese oder jene Haltung, aber das wäre dann auch schon alles. Die zweiten schlagen verzweifelt um sich, sind dauernd in Bewegung und meinen, sie würden durch ihre Aktivität mit der Zeit den Sumpf verändern. Doch das geht nicht. Die meisten von ihnen versinken noch schneller als alle anderen. Man kann nicht mitten im Sumpf steckenbleiben und dabei hoffen, nicht zu versinken oder vorher den Sumpf trockengelegt zu haben. Der einzige Weg aus dem Sumpf ist der, ihn zu verlassen. In aller Ruhe ausfindig zu machen, wo ein fester Weg ist, Hilfsmittel und Freunde zu finden und sich gegenseitig aus dem Sumpf zu helfen. Nicht still stehen zu bleiben und jede Veränderung abzulehnen, nicht sich betäuben in der Hoffnung, den Sumpf zu vergessen. Auch nicht blindlings um sich schlagen und den Sumpf zu bekämpfen, an dem zu viele noch verzweifelt festhalten. Aber auch nicht von einer Welt ohne Sumpf reden und träumen, sondern sie verwirklichen, soweit, wie es jedem möglich ist."

Johannes nahm noch einen Schluck aus seiner Flasche und bot mir auch etwas an. Dankbar nahm ich die kleine Erfrischung an. Inzwischen war es völlig dunkel geworden und ein klarer Sternenhimmel wölbte sich über uns.

,,Die meisten Menschen lernen durch Vorbilder", sprach er weiter. ,,Nicht durch Reden, sondern durch das, was sie sehen. Wenn die Menschen, die wissen, wie man besser leben kann, es wirklich tun würden und nicht nur davon reden, wer weiß, ob ihnen nicht viele auf den festen Weg folgen würden. Suchende gibt es genug."

Johannes erhob sich. „Damit bin ich am Ende", meinte er. „Es gibt für dich zahlreiche Möglichkeiten, dein Leben nach dem auszurichten, was du denkst und wie du redest. Damit hättest du schon viel gewonnen. Ich will dir ein harmloses, vielleicht lächerliches Beispiel geben. Du hast auf deinem Auto ein Schild mit dem Text: Atomkraft – nein danke! Ich kann so etwas nicht begreifen. Einerseits wehrst du dich auf diese Art gegen die Zerstörung der Welt durch die Atomkraft, andererseits hilfst du fleißig bei der Zerstörung mit, indem du mit deinem Auto die Luft verpestest. Weißt du außerdem, wie viele wertvolle Rohstoffe durch den Kauf deines Autos verlorengegangen sind? Wie sehr du damit den Sumpf unterstützt hast, dem du andererseits entrinnen willst?"

Ich wollte prompt etwas antworten, doch Johannes wehrte ab. „Sag nichts!" rief er. „Vielleicht ist das Beispiel schlecht gewählt, doch du weißt, was ich damit sagen will."

Er griff in seinen Beutel und holte ein kleines Buch heraus.

„Es wird Zeit für mich, Klaus", sagte er. „Ich muß gehen. Du wirst noch viele Fragen haben, doch ich werde sie dir nicht beantworten. Wir werden uns wohl niemals wiedersehen."

Ich habe ihn sicher sehr betroffen angesehen. Dieser plötzliche, anscheinend endgültige Abschied erschreckte mich sehr. Ich konnte nichts sagen, auch wenn ich gern noch vieles gesagt hätte.

„Es geht nicht anders", sagte Johannes. „Unsere Begegnung ist für dich sicher sehr rätselhaft und oft erschütternd gewesen. Sie wird es auch in Zukunft bleiben. Doch wir können uns nicht wiedersehen, und ich kann und will dir nichts erklären."

Er reichte mir das Büchlein und sagte: ,,Hier, das will ich dir noch geben. Lies es so, wie du mir zugehört hast, und entscheide dann über dein weiteres Leben. Ich wünsche dir alles Gute."

Damit nahm er mich fest in seine Arme und drückte mich schweigend an sich. Ebenso schweigend wandte er sich dann ab und verließ mich. Nach wenigen Metern verschwand er in der Dunkelheit.

Tiefe Einsamkeit und unsagbare Verzweiflung ergriffen mich. Tränen stiegen in meine Augen. Ich hatte kein Wort mehr sagen können, nicht einmal zum Abschied.

Ich rannte los und versuchte, Johannes noch einzuholen. Doch ich hatte kein Glück, ich fand ihn nicht mehr.

Allein kehrte ich auf den Hügel unseres Gespräches zurück und ließ mich ins Gras fallen. Während meines hemmungslosen Weinens schlief ich ein.

Mitten in der Nacht schreckte ich hoch. Irgend etwas hatte mich geweckt, eine unbeschreibliche Bedrohung lag in der Luft. Ich blieb ganz still sitzen und versuchte angestrengt, in der Dunkelheit etwas zu sehen. Die Spannung wurde immer unerträglicher. Mir war nicht im geringsten klar, vor was ich Angst hatte, doch ich hielt es nicht mehr aus. Schließlich erhob ich mich leise und schlich vorsichtig durch die Bäume, verließ den Hügel und begann endlich zu rennen. Ich nahm einfach den Weg, den mein Körper nehmen wollte. Mir wurde nicht klar, daß ich den Rückweg nicht wußte. Ich ließ einfach meinen Körper laufen.

Wie ich schließlich nach Hause gekommen bin, weiß ich nicht. Am nächsten Morgen erwachte ich, quer über meinem Bett liegend. Ich war vollständig angekleidet.

Ich stand auf, machte mir einen Kaffee und versuchte angestrengt, mich an meinen Heimweg zu erinnern. Doch war meine Heimkehr in der Erinnerung so verschüttet, daß ich mich nur noch an die seltsame Flucht von dem Hügel erinnern konnte.

Nachdem ich meinen Kaffee getrunken und etwas gegessen hatte, bemerkte ich, daß es schon spät am Morgen war. Ich beschloß, in meiner Firma anzurufen, mich für den gestrigen Tag zu entschuldigen und für heute krank zu melden.

Ich machte mich einigermaßen zurecht und ging in aller Ruhe zur nächsten Telefonzelle. Mein Chef war nicht zu erreichen, deshalb verlangte ich den Kollegen, der das Büro mit mir teilte.

Ja, meinte er, er habe sich schon gewundert, wo ich heute bleibe, ich sei doch gestern noch ganz munter gewesen.

Ich begriff zunächst nicht und entschuldigte mich für mein gestriges Fernbleiben.

Er schien mich nicht zu verstehen. Gestern sei ich doch noch im Büro gewesen, und erst heute würde ich fehlen. Ob ich spinne oder ihn auf den Arm nehmen wolle. Und baldige Genesung wünschte er mir. Damit hängte er ein.

Ich ging in das nächste Geschäft und erkundigte mich nach dem Wochentag und dem Datum. Mein Kollege hatte recht. Ich war in der Tat gestern im Büro gewesen! Das würde bedeuten . . .

Was mit meinem Körper in diesem Augenblick geschah, kann ich unmöglich beschreiben. Ich glaubte, alle Organe seien in Aufruhr und keines an seinem gewohnten Platz. Mein Denken versagte, und ich wurde das Gefühl nicht los, die Welt um mich herum zerfalle in ihre Einzelteile und wäre niemals mehr in ihre richtige Ordnung zu bringen.

Ich lief völlig aufgelöst nach Hause und brütete in der Küche vor mich hin.

Die seltsame Begegnung mit Johannes soll also gar nicht stattgefunden haben, sie soll nur ein Traum gewesen sein! Gibt es Menschen, die solche Träume erleben?

Ich hätte geschworen, daß der letzte Tag real gewesen war. Ich war mir einfach sicher, daß ich Johannes nicht im Traum, sondern in der Wirklichkeit begegnet bin. Doch dann kamen mir wieder Zweifel. Hatte ich mich während unseres Gespräches nicht mehrmals gefragt, ob ich wache oder träume?

Dennoch war es mir unbegreiflich, daß ich den Tag mit Johannes nicht wirklich erlebt haben soll. Der morgendliche Spaziergang in den Wald, die Begegnung mit ihm, das Gespräch und seine Rede, das alles sollte nicht real gewesen sein?

Plötzlich sprang ich auf. Das Buch! Johannes hatte mir zum Abschied ein Büchlein geschenkt. Ich war überzeugt, daß ich es seitdem nicht aus der Hand gegeben hatte. Ich lief ins Schlafzimmer.

Auf meinem zerwühlten Bett lag das Buch von Johannes. Klein und unscheinbar lag es da, wirkte alt und abgegriffen. Ich wagte nicht, es anzufassen und durchzublättern.

Obwohl es den letzten Tag nicht gegeben haben kann, existierte das Buch tatsächlich. Ich fürchtete, jeden Augenblick den Verstand zu verlieren.

Fluchtartig verließ ich meine Wohnung und fuhr in die Innenstadt. Ich erhoffte mir Ablenkung, saß in irgendwelchen Cafes herum und dachte trotzdem immer nur an eines. Ich war zu keinem klaren Gedanken mehr fähig.

Unkonzentriert blätterte ich in einigen Zeitungen, ohne zu erfassen, was ich sah. Schließlich entschloß ich mich, einen Buchladen aufzusuchen.

Nichts tue ich in solchen Situationen lieber, als in einem Buchladen zu stöbern. Neue Bücher hatten es bisher immer geschafft, mich von Grübeleien abzulenken, mich mit anderen Gedanken zu fesseln. Doch dieses Mal war es wie verhext: Zu welchem Buch ich auch griff, ich schlug eine Seite auf, deren Text in enger Beziehung zu meinem Gespräch mit Johannes zu stehen schien.

Ich griff deshalb zu einem harmlos erscheinenden Bildband, setzte mich in eine Ecke und versuchte, die Fotografien intensiv zu betrachten. Erstaunlicherweise gelang es mir. Ich vertiefte mich zusehends in die Betrachtung der Bilder, die Menschen in allen möglichen Situationen zeigten.

Plötzlich schlug ich überraschend eine Textseite auf. Wie Flammen standen mir die Buchstaben vor Augen. Und ähnlich wie das Gespräch mit Johannes werde ich diese Zeilen wohl niemals mehr vergessen. Mehrmals wollte ich aufhören zu lesen, doch ich las weiter, als würde mir ein fremder Wille aufgezwungen.

Ich las folgenden Text:

Bitte höre, was ich nicht sage! Laß dich nicht von mir narren. Laß dich nicht durch das Gesicht täuschen, das ich mache, denn ich trage Masken, Masken, die ich fürchte, abzulegen. Und keine davon bin ich. So tun als ob ist eine Kunst, die mir zur zweiten Natur wurde. Aber laß dich dadurch nicht täuschen, ich mache den Eindruck, als sei ich umgänglich, als sei alles heiter in mir, und so als brauchte ich niemanden. Aber glaub mir nicht! Mein Äußeres mag sicher erscheinen, aber es ist meine Maske. Darunter bin ich, wie ich wirklich bin: verwirrt, in Furcht und allein. Aber ich verberge das. Ich möchte nicht, daß es irgend jemand merkt. Beim bloßen Gedanken an meine Schwächen bekomme ich Panik und fürchte mich davor, mich anderen überhaupt auszusetzen. Gerade deshalb erfinde ich verzweifelt Masken, hinter denen ich mich verbergen kann: eine lässige Fassade, die mir hilft, etwas vorzutäuschen, die mich vor dem wissenden Blick sichert, der mich erkennen würde. Dabei wäre dieser Blick gerade meine Rettung. Und ich weiß es. Wenn es jemand wäre, der mich annimmt und mich liebt. Das ist das einzige, das mir die Sicherheit geben würde, die ich mir selbst nicht geben kann: daß ich wirklich etwas wert bin. Aber das sage ich dir nicht. Ich wage es nicht. Ich habe Angst davor. Ich habe Angst, daß dein Blick nicht von Annahme und Liebe begleitet wird. Ich fürchte, du wirst gering von mir denken und über mich lachen. Und dein Lachen würde mich umbringen. Ich habe Angst, daß ich tief drinnen in mir nichts bin, nichts wert, und daß du das siehst und mich abweisen wirst. So spiele ich mein Spiel, mein verzweifeltes Spiel: eine sichere

Fassade außen und ein zitterndes Kind innen. Ich rede daher im gängigen Ton oberflächlichen Geschwätzes. Ich erzähle dir alles, was wirklich nichts ist, und nichts von alledem, was wirklich ist, was in mir schreit; deshalb laß dich nicht täuschen von dem, was ich aus Gewohnheit rede. Bitte höre sorgfältig hin und versuche zu hören, was ich nicht sage, was ich gerne sagen möchte, was ich aber nicht sagen kann. Ich verabscheue dieses Versteckspiel, das ich da aufführe. Es ist ein oberflächliches, unechtes Spiel. Ich möchte wirklich echt und spontan sein können, einfach ich selbst, aber du mußt mir helfen. Du mußt deine Hand ausstrecken, selbst wenn es gerade das letzte zu sein scheint, was ich mir wünsche. Nur du kannst mich zum Leben rufen. Jedesmal, wenn du freundlich und gut bist und mir Mut machst, jedesmal, wenn du zu verstehen suchst, weil du dich wirklich um mich sorgst, bekommt mein Herz Flügel, sehr kleine Flügel, sehr brüchige Schwingen, aber Flügel! Dein Gespür und die Kraft deines Verstehens geben mir Leben. Ich möchte, daß du das weißt. Ich möchte, daß du weißt, wie wichtig du für mich bist, wie sehr du aus mir den Menschen machen kannst, der ich wirklich bin, wenn du willst. Bitte, ich wünschte, du wolltest es. Du allein kannst die Wand niederreißen, hinter der ich zittere. Du allein kannst mir die Maske abnehmen. Du allein kannst mich aus meiner Schattenwelt, aus Angst und Unsicherheit befreien, aus meiner Einsamkeit. Übersieh mich nicht. Bitte, übergeh mich nicht! Es wird nicht leicht für dich sein. Die langandauernde Überzeugung, wertlos zu sein, schafft dicke Mauern. Je näher du mir kommst, desto blinder schlage ich zurück. Ich wehre mich gegen das, wonach ich schreie. Aber man hat mir gesagt, daß Liebe stärker sei als jeder Schutzwall, und darauf hoffe ich. Wer ich bin, willst du wissen? Ich bin jemand, den du sehr gut kennst und der dir oft begegnet.

Noch ein zweites und ein drittes Mal las ich diese Seite. Erst dann begann ich langsam wieder wahrzunehmen, wo ich mich befand. Mir war, als würde ich erst jetzt aus einem langen Traum auftauchen, erst jetzt wieder in die Wirklichkeit zurückkehren. Meine Unruhe und Verwirrung machten einer ungewohnten Gelassenheit Platz. Obwohl ich durchaus von meinen Erlebnissen noch aufgewühlt war, konnte ich jetzt alles wesentlich ruhiger betrachten.

Ich kaufte das Buch und verließ den Laden. Dann kehrte ich nach Hause zurück, betrat aber nicht meine Wohnung, sondern nahm denselben Weg, den ich gestern früh in den Wald gegangen war.

Ich fand die Wegbiegung, hinter welcher Johannes mich auf einer Bank erwartet hatte, nicht. Ich habe sie bis heute nicht gefunden. Auch die herrliche, weitläufige Hügellandschaft konnte ich bis heute nicht entdecken. Sie ist auf keiner Landkarte verzeichnet.

Gegen Abend kehrte ich voller Fragen und ungelöster Rätsel zurück. Dennoch erfüllte mich eine innere Ruhe und Gelassenheit, wie ich sie bisher nicht gekannt hatte. Ich fühlte, daß ich jetzt genau das Richtige tun würde. Ich wußte es nicht, ich fühlte es. Eine Begründung hatte ich nicht.

Ich aß in aller Ruhe zu Abend. Dann holte ich das Buch von Johannes aus dem Schlafzimmer, setzte mich bequem zurecht und las es durch.

Der Inhalt war von Hand geschrieben. Ich nahm den Text zwar durch die Augen auf, hatte aber während des Lesens immer wieder das Gefühl, als würde der Inhalt noch auf eine andere, geheimnisvolle Weise von mir empfangen. Ich kann dieses Gefühl nur so beschreiben, daß ich stellenweise glaubte, mein ganzer Körper würde in den Worten dieses Büchleins schwimmen und ich würde durch jede Pore die Sätze aufsaugen.

Anschließend legte ich mich schlafen. Am nächsten Tag ging ich wieder arbeiten. Mein Erlebnis behielt ich zunächst für mich.

Bis heute habe ich keine Erklärung dafür, die meinem Verstand genügen würde. Ich habe keine vernünftige Möglichkeit gefunden, wie das Buch in meine Hände gekommen sein kann. Doch ich frage nicht mehr danach. Die Begegnung mit Johannes, ob Traum oder Wirklichkeit, hat mich verändert. Das Buch begleitet mich noch heute; ich habe niemals etwas gelesen, das wichtiger für mich gewesen wäre.

Nach einigen Wochen begann ich zaghaft, einigen Freunden von Johannes und dem Buch zu erzählen. Keiner wollte mir so recht glauben. Immerhin haben einige das Büchlein gelesen, und ich konnte feststellen, daß es keiner ohne Folgen gelesen hat. Jeder hat sich fast unmerklich danach verändert, hat sich seitdem anders verhalten. Ich glaube, daß ich mit Recht sagen kann, das Buch von Johannes hat auf alle, die es bisher gelesen haben, eine spürbar positive Wirkung gehabt.

Und so habe ich mich entschlossen, meine Geschichte und das Buch von Johannes zu veröffentlichen.

4   Das Buch

Du wirst dieses Buch lesen. Deine Augen werden die Buchstaben sehen, dein Gehirn wird die Wörter erkennen und Sätze daraus bereiten. Doch schon manches Buch hat dies für dich bedeutet, ohne daß dir Erkenntnis zuteil wurde.

Dieses Buch mag mehr für dich sein, wenn du willst und bereit bist. Öffne dich mit all deinen Sinnen, wenn diese Zeilen vor dir liegen. Sieh mit deinen Augen und höre mit deinen Ohren, rieche mit deiner Nase und schmecke mit deinem Mund und taste und spüre mit deiner Haut. Und auch jene Sinne brauchst du, deren sich die Menschen nur selten erinnern. Fühle mit deinem Körper, denke mit deinem Gehirn und erkenne mit deiner Seele.

Nimm dieses Buch mit all deinen Sinnen auf, und du wirst sehen, was es für dich bereit hält. Denn dies ist nicht nur ein Buch zum Lesen, sondern du wirst Schritte mit ihm tun, welche dir Kraft und Wahrheit geben.

Nicht jede Zeile mag für dich richtig sein. Doch jeder Satz verdient deine Aufmerksamkeit, damit du darüber nachdenken und fühlen und sehen mögest. Überdenke die Worte wohl und reiflich, doch wirf sie nicht einfach weg, denn in jedem könnte deine Wahrheit sein.

Sei wachsam und kritisch bei jedem Satz, doch sei auch auf der Hut dir selbst gegenüber. Denn niemand kann dich so gut belügen und betrügen wie du selbst.

Dreierlei ist in dir vereint. Es sind dies Körper, Geist und Seele. Sie bilden eine harmonische Einheit, und kein Teil soll über die anderen Teile herrschen. Weder Körper noch Geist noch Seele kann ohne die anderen Teile gut und gesund sein. Und keiner dieser Teile soll vergessen werden, denn die anderen Teile werden krank daran.

Für viele Menschen ist der Körper ein lästiges Übel und mit Schmutz und Sünde behaftet. Für andere dient er nur als nutzlose Hülle für den Geist, und sie geben nicht acht auf ihn. Und es gibt solche, die sehen im Körper für dieses Leben nur den Träger der Seele.

Alle jene haben nicht erkannt, daß Körper, Geist und Seele eine Einheit sind. Sie lassen ihre Körper brachliegen wie ein fruchtbares Feld, das niemand bestellen will. Sie füllen ihre Körper mit künstlichen Stoffen und falscher Nahrung. Sie vergiften ihre Organe mit flüchtigen Genüssen. Sie bewegen ihre Glieder nicht, sondern schleppen sie mit sich herum. Ihre Körper sehen die Sonne nicht und spüren nicht den Wind. Sie alle pflegen ihre Besitztümer mehr als ihre Körper.

Die Freuden, die der Körper zu schenken vermag, werden verleugnet und mit Schmutz beworfen, damit niemand einem anderen das gebe, was der Körper zu geben hat und wonach er dürstet.

Die Hilferufe des gepeinigten Körpers werden mit Lärm übertönt und mit Giften unterdrückt. Und so wird der

Körper bleich und aufgedunsen, schlaff und kraftlos. So hat er kranke Haut und schwächliches Fleisch. Solche Körper sind häßlich anzuschauen und bereiten keine Freude.

Verleugne deinen Körper nicht und verstecke ihn nicht, sondern erfreue dich an seiner wunderbaren Vielfalt und Schönheit. Laß deinen Körper nicht verkommen, sondern fühle, was er dir zu sagen hat. Bewege deinen Körper, zeig ihm die Sonne und den Wind. Laß ihn frei atmen und frei leben, und du wirst sehen, daß er auch dir Freude bereiten wird.

Gib acht auf dein Essen und Trinken und quäle deinen Körper nicht mit Giften, die Genuß versprechen und krank machen. Es ist nicht gut, wenn du nur an morgen denkst und nicht an übermorgen.

Und bedenke, daß der ganze Kosmos, seien es Sonne, Mond und Sterne oder sei es das kleinste Wesen in einer Wasserpfütze, ihren Rhythmus haben, damit das wunderbare Gefüge nicht durcheinander gerate. Höre auch du in der Stille auf den Rhythmus deines Körpers und zwänge ihm keinen anderen auf. Laß ihn zu seiner und zu deiner Freude Körper sein.

Die Welt scheint nur noch vom Geist beherrscht. Der Verstand ist das Maß aller Dinge, wohin du auch blickst. Und dennoch bleibt überall nur Dummheit übrig.

Viele Menschen scheinen keinen Geist zu haben. Stumpf und geistlos leben sie dahin. Andere machen ihren Geist gottähnlich, ruhelos versuchen sie, mit dem Verstand Erkenntnis zu gewinnen. Wieder andere glauben, sie lebten ganz ihrer Seele und bekämpfen den Gebrauch des Geistes.

Sie alle übersehen die Einheit von Körper, Geist und Seele. In deiner Umwelt wird der Verstand auf einen Thron gesetzt, der ihm nicht gebührt. Vom ersten Tag an wird der Geist eines Menschen in einem Maße geschult, das die Harmonie des Ganzen stört. Alles wird mit dem Geist zerlegt, seien es die Schönheiten der Natur oder die Zärtlichkeit zwischen den Menschen, sei es, was auch immer du willst.

Allzu viele gibt es, die mit ihrem Geist nur glänzen, doch ihn nicht wirklich zu gebrauchen wissen. Überall kannst du das Ergebnis von körper- und seelenlosem Geist finden und sehen, daß auch der Verstand nur wirklich klar und rein sein kann, wenn ihm der rechte Platz neben Körper und Seele zugewiesen wird.

Prüfe deshalb, ob dein Geist dir jene Besonnenheit zu geben vermag, die für ein erfülltes Leben ist wie das Wasser für die Wüste. Verwechsle niemals pures Wissen mit dem richtigen Gebrauch des Geistes, denn Denken ist mehr als das Sammeln von Informationen. Dein Wissen mag trügerisch sein. Bedenke das immer und treffe deine Entscheidungen mit Bedacht. Weit größeres Wissen gibt es, als du es zur Verfügung hast.

Gib deinem Geist bisweilen die Stille und Ruhe, deren er ebenso bedarf wie dein Körper und deine Seele. Ein ruheloser Geist ist wie ein hungerndes Raubtier, und er verliert seine besten Fähigkeiten.

Doch vergiß auch niemals, daß dein Geist eine wunderbare Gabe ist. An seinem rechten Platz ist er ein Segen für die Menschen. Es ist Verschwendung, wenn jemand die Regungen des Körpers und die Weisheit der Seele höher bewertet als die Kraft des Geistes.

Die Seele der Menschen scheint in der Hetze und Oberflächlichkeit des Lebens, in der Flucht nach Besitz und dem Streben nach flüchtigen Erfolgen verlorengegangen. Doch für ein erfülltes und zufriedenes Leben ist die Seele wie der Trunk für den Wanderer in der Wüste.

Viele Menschen leben dumpf und träge dahin und nehmen die Regungen ihrer Seele nicht wahr. Andere bemühen sich jeden Tag, die Weisheit der Seele zu leugnen und zu widerlegen. Und es gibt solche, die nur auf die Seele achten und dabei das Leben vergessen. Sie haben die Einheit von Körper, Geist und Seele nicht begriffen.

In deiner Umwelt geht es den Menschen besser als jemals zuvor. Und dennoch leben sie ohne Rast und Ruhe und werden von tiefer Unzufriedenheit getrieben. Doch wenn die Seele in stillen Augenblicken sich regt, so hören sie nicht aufmerksam zu, sondern geben ihrem Verstand Macht und Kontrolle über sie, damit er beweise, daß es keine Seele gibt. All jene werden seelenlose Sklaven ihres Geistes, der doch ohne Seele nicht klar sein kann.

Andere haben ihre Seele verkauft. Sie gehört nicht mehr ihnen, sondern irgendeinem Teufel oder irgendeinem Gott. Sie meinen, sie wären gut und fromm, doch in Wahrheit sind auch sie ohne Seele. Denn die Seele eines jeden Menschen wird krank ohne den Geist und ohne den Körper.

Ohne deine Seele bist du von morgens bis abends und von Frühjahr bis Winter auf der Suche und findest doch nichts. Du irrst umher und kannst die wirklichen Dinge nicht mehr erkennen. Du klammerst dich an Unwirkliches und Vergängliches und fragst dich, warum du Glück und Zufriedenheit vergeblich suchst. Ruhelos wirst du immer neuen Zielen folgen, hinter welche du wieder neue Ziele steckst. Doch diese Ziele blenden dich, du siehst deinen wirklichen Weg nicht und kannst die wirklichen Ziele nicht mehr sehen. Denn es gibt Ziele, die du nicht sehen kannst, wenn du nicht ruhig und gemessen durch deine Tage schreitest, um dir Zeit für die Wirklichkeit und das wahre Leben zu nehmen.

Gib deiner Seele die Stille, die sie braucht, um sich hörbar zu machen, denn die Stimme deiner Seele ist leise und ihre Kraft kann nur in der Stille erblühen. Erst dann wird deine Seele dich mit Leben erfüllen und du wirst so sein, wie du wirklich bist.

Du bist du. Niemals wirst du in deinem Leben jemand anderes sein. Darum nimm dich an als der, welcher du bist, denn du mußt dein ganzes Leben mit dir verbringen.

Viele Jahre hast du dich versteckt, damit du dich nicht sehen konntest und damit dich kein anderer fände. Doch war es zwecklos, denn oft hast du dich selbst erkannt und oft haben andere deine Tarnung durchschaut.

Manche gibt es, die erkannt haben, daß hinter deinem Versteck ein Mensch ist, wie sie ihn selber hinter ihrer Tarnung verstecken. Doch sie hatten nicht den Mut, sich dir zu zeigen und dir zu sagen, daß sie dich gesehen haben.

Wenn du leben willst, komm heraus aus deinem Versteck, damit du gesehen und erkannt wirst. Denn nur wer dich sieht und dich erkennt, wird dich liebhaben können. Entscheide, ob du in Sicherheit und Einsamkeit versteckt bleiben willst oder ob du endlich hervortreten willst ins Leben, damit andere dich sehen und erkennen und lieben können. Auch die anderen werden dann den Mut finden, um sich dir zu zeigen, denn sie können dir dann furchtlos gegenübertreten.

Wer sich versteckt, hat nur geringe Bewegungsfreiheit, denn er muß dauernd darauf achten, nichts von sich zu zeigen. Wer aber sein Versteck verlassen hat, der ist frei. Er hat auf einmal Platz und kann gehen, wohin er will, denn er muß sich nicht mehr ängstlich verbergen.

Du bist dann frei von der Angst, was ein anderer über dich denken mag oder wie du auf andere wirkst. Und die anderen werden frei von der Angst, was du über sie denken magst oder wie sie auf dich wirken, denn sie können es sehen und wissen.

Jetzt bist du frei, zu tun, was immer du willst. Du kannst entscheiden, an wessen Meinung dir etwas liegt oder welche Abhängigkeiten du aufgeben oder behalten willst.

Wer keine Zeit für sich selber hat, der hat zu wenig Zeit. Nimm dir Zeit für dich und besinne dich auf dich selbst, denn es wird nicht leicht sein, ohne Versteck zu leben und frei zu sein.

Du hast nicht mehr und nicht weniger Zeit als von Morgen zu Morgen und von Frühling zu Frühling. Viele leben nur in Angst, etwas zu versäumen. So hetzten sie durchs Leben und versäumen gerade durch ihre Eile das Wesentliche. Denn ein Gehetzter wird jeden Tag aufs neue an sich und den anderen vorbei hasten.

Die Hast eines Menschen sieht eher aus wie Flucht. Geschäftigkeit heißt noch nicht, daß viel getan ist. Beschaulichkeit kann viel mehr tun. Und das Leben wird sich vor dir erst entfalten, wenn du dir Zeit dafür nimmst.

Du bist es wert, daß du dir Zeit nimmst für dich und dein Leben. Eile nicht an dir selbst vorbei, sonst wirst du dich niemals finden.

Gleichmäßigkeit und Rhythmus können mehr leisten, als du zu denken wagst. Wer in Eile ist, handelt oft falsch, doch wer sich Zeit nimmt, der wird tiefer leben als der Eilige.

Wie oft eilst du, um Zeit zu sparen. Und die vermeintlich gesparte Zeit brauchst du dann, um dich von der Hetze deines Lebens zu erholen. Viele sparen dauernd Zeit und wissen dann nicht, wie sie sich die gesparte Zeit am besten vertreiben sollen. Dies ist nicht der rechte Umgang mit der Zeit.

Zieh dich zurück und merke dir, was du bisher gedacht hast über Mann und Frau, Liebe und Haß, Besitz und Not, Krankheit und Freude, Gott und Teufel, Leben und Tod und über alles, von welchem du glaubst, eine Meinung zu haben. Denn es ist nicht deine Meinung.

Was du bisher dachtest, waren nicht deine Gedanken. Denn du hattest dich in einem Dorngestrüpp versteckt, das dir deine Eltern mitgaben auf deinen Weg.

Jetzt sieh dich um und bilde dir eine Meinung über das, was du siehst. Und wenn es dieselbe Ansicht ist, die du vormals hattest, so ist es doch eine neue Ansicht, denn dir wird deine Sicht nicht mehr verstellt durch dein Versteck.

Du lebst jetzt und hier, nicht gestern oder morgen, auch nicht hinter den Bergen oder weit über dem Meer. Doch glaube nicht, daß dein Leben ewig währt, denn dein Tod ist dir gewiß.

Es ist schwer, daran zu denken, wie wenig Zeit für unser Leben bleibt. Dennoch solltest du nicht so überheblich sein und so tun, als würdest du ewig leben.

Der Abstand zwischen dir und deinen Mitmenschen ist Zeitverschwendung, ist Verschwendung deines Lebens. Mit deinem Versteck hat es so viel Zeit gekostet, anderen nahezukommen. Jetzt ist dein Versteck fort und du kannst die verlorene Zeit hinter dir lassen. Denn du lebst jetzt und hier und du kannst morgen tot sein.

Du hast nur dich. Und wenn es dir auch nicht viel erscheinen mag, bist du das einzige, was wirklich dir gehört. Mehr hast du nicht, und darum bist du alles, was du hast. Und das ist sehr viel.

Du hast gesehen, daß du nur du bist, nicht mehr und nicht weniger. Du weißt, daß du nur jetzt und hier lebst. Doch es ist nicht so leicht, wie es geschrieben steht. Denn leichter ist es, auf andere zu hören und den eigenen Weg zu verfehlen. Doch du bist allein, und alle Dinge deines Lebens mußt du alleine tun. Deshalb ist dein Weg für dich wichtig, und du mußt nur auf dich hören, hier und jetzt.

Oft wird es dir so scheinen, als seiest du auf deinem Weg steckengeblieben. Doch wenn du wirklich frei sein willst, dann gib auch in solchen Situationen dir selber nach. Wenn du versuchst, dich zu vergewaltigen, wirst du nicht frei sein.

Doch hüte dich davor, die Verantwortung für dich und dein Handeln auf andere zu schieben. Sage nie, daß du nun mal so oder so bist und nicht anders kannst. Denn annehmen sollst du dich, dich dir selber hingeben sollst du, doch nicht starr und bewegungslos werden. Leben fließt, und wenn dein Leben in dir nicht fließt, dann bist du tot.

Du bist wie der Pfeil, den deine Eltern von ihrem Bogen geschossen haben. Du fliegst die Bahn, welche die Schützen im Auge hatten. Doch heute bist du kein Pfeil mehr, sondern selber ein Bogen. Keine Entschuldigung gibt es mehr für deinen Flug, kein Gejammere hilft dir über deinen bisherigen Weg. Längst bist du irgendwo gelandet und stehst auf deinen eigenen Beinen. Und darum hast du die Verantwortung für deinen weiteren Weg.

Viele Menschen wollen nicht verantwortlich sein für ihr Tun. Sie wollen lieber Kinder bleiben. Wenn auch du Kind bleiben willst, wirst du niemals Mensch werden. Wenn du aber aufgestanden bist zu deiner vollen Größe, so richte deinen Blick vorwärts und gehe deinen Weg mit festem Schritt. Welchen Weg du auch wählen magst, es ist dein

Weg. Du bist für jeden Schritt verantwortlich, den du tust, darum gehe deinen Weg gut.

Ein Mensch, der geht, ist unterwegs. Jeder andere bewegt sich nicht. Wer sich aber nicht bewegt, ist tot.

Du bist allein wie jeder andere auf dieser Welt. Doch wenn du dich den anderen geöffnet hast, wirst du deine Einsamkeit teilen. Und sie ist nicht mehr eine Last, welche dich zu erdrücken droht.

So mancher scheitert an der Frage: Warum so und nicht anders? Warum ich und nicht der? Warum gerade jetzt und nicht ein anderes mal? Laß dir sagen, daß diese Fragen ohne Antwort sind. Denn wenn es einen Sinn gibt, so sind wir Menschen mit unseren geringen Mitteln niemals in der Lage, diesen Sinn zu verstehen. Darum ist eine solche Frage müßig.

Du hast nun die Wahl zwischen vielen Wegen. Doch welcher es auch immer sein mag, den du gehst: Gehe ihn mit deinem ganzen Herzen. Denn alle Wege führen zum Tod. Darum wird dein Weg auch dein letzter Weg sein.

Zu lange hast du schon gesucht. Nun gib das Suchen auf und lerne, zu finden. Steh zu dir, denn du bist das Wertvollste, das du auf dieser Welt hast. Und nun geh deinen Weg.